michael segron B-29P-6

M 7.50

VERDI

pierre petit

© Editions du Seuil. 1958. Toute reproduction interdite y compris par microfilm. ISBN 2-02-000230-2.

D0358409

série dirigée par françois-régis bastide

solfèges / seuil

COMVNE DI MILANO

GIVSEPPE VERDI

Le « cas Verdi » semble à peu près unique dans l'histoire de la musicologie française. En effet, Verdi, depuis un siècle, est l'un des auteurs les plus sûrs de la scène lyrique, l'un de ceux qui remplissent le plus facilement les théâtres, et dont le nom est le plus familier du grand public. Or, malgré cette sorte de « consensus omnium », de gloire indiscutable, Verdi n'a guère inspiré en France que deux petits livres, avant tout biographiques [1], et qui n'ont à peu près rien de l'aspect critique que l'on serait en droit d'attendre sur un sujet aussi vaste. En face de cette carence qui ne fait guère honneur à notre pays, nos voisins ont développé avec continuité une production imprimée qui, de la bibliographie verdienne, fait aujourd'hui l'une des plus riches ; en tête, évidemment, vient l'Italie, où Verdi est Dieu, où ses mélodies sont sur toutes les lèvres, et où, depuis le Risorgimento, le cœur de tout un

1. C. Bellaigue, *Verdi* ; A. Bonaventura, *Verdi*.

pays bat sur les rythmes de *Nabucco* ou de *Rigoletto* ; ce sera par conséquent l'édition italienne qui l'emportera de beaucoup dans cette compétition. Mais, alors que la « sœur latine » se fait remarquer par une totale déficience, les pays germaniques et anglo-saxons, anglais ou américains, poursuivent avec assiduité des études d'une ampleur et d'un intérêt indiscutables — sans parler des ouvrages publiés aussi bien en espagnol qu'en polonais, en suédois qu'en hollandais. A quoi donc attribuer cette espèce de mépris que semble marquer, à l'égard d'un des plus grands compositeurs italiens, la musicologie française ? Ne serait-ce pas que la faveur permanente du public — du grand, du vrai public — envers une œuvre simple de conception, directe, vigoureuse et franche, constitue au départ, pour cette œuvre, un lourd handicap aux yeux des musicologues, dont le « chef-d'œuvre oublié » est la pâture préférée ? Des ouvrages qui sont, aux œuvres d'un maître inconnu du xviie siècle, ce que la baie de Naples est à un paysage perdu de la Basse-Bretagne ne sauraient que susciter la méfiance de nos Aristarques, pour lesquels la critique des beautés évidentes — telle que la concevait Chateaubriand — ne peut que ressortir à une hagiographie par trop simple. Et pourtant, le rôle du critique, autant que de blâmer justement ou de rechercher les qualités cachées, ne serait-il point aussi, sinon surtout, d'essayer d'expliquer le « pourquoi » d'une emprise totale que possèdent, sur les foules, certaines œuvres ? On me dira que, mettant la charrue devant les bœufs, je parais confondre, justement, cette emprise avec la beauté de l'œuvre ; loin de moi l'idée d'une semblable assimilation, qui tendrait à faire un chef-d'œuvre du calendrier des postes. Ce que je voudrais, cependant, c'est que le succès d'une œuvre ne soit point, d'office, pour cette dernière, une tare presque honteuse, et que, *a priori*, on ne lui refuse point les prestiges que l'on accorderait sans hésiter à telle autre œuvre dont les mérites restent boudés du public. Avant d'aborder l'étude des opéras et des autres œuvres de Verdi, je tiens à prendre franchement une position que de mauvais esprits pourraient qualifier de démagogique, mais que, quant à moi, je tiens pour nécessaire du seul point de vue de la plus élémentaire sincérité. Verdi fut un homme d'une ombrageuse droiture : il mérite que, pour l'étudier, notre honnêteté égale la sienne, et ne soit jamais faussée par de vains paradoxes sur la gloire et le succès.

sgatha

gina

BVSSETO.

Busseto

es aventures de Don Camillo et de son cher ennemi Peppone ont popularisé en France le cadre même qui vit naître et grandir le jeune Verdi. C'est dans la plaine du Pô, sur la rive droite du fleuve, entre ce dernier et l'antique Via Emilia — celle qui joint la Lombardie et Milan à la mer Adriatique — une plaine que l'on appelle communément la « Bassa », plaine légèrement marécageuse, mystérieuse, envoûtante, où les fermes dans le soir semblent autant de fortins, où les paysans sont particularistes plus encore que partout ailleurs en Italie, et où les couchers de soleil prennent, sur le fleuve immense, des couleurs et des proportions grandioses. De loin en loin, une bourgade domine une partie du pays, que des siècles de vasselage lui ont soumise ; un ou deux milliers d'habitants, des murs d'enceinte, des arcades toujours fraîches, et un château, une « Rocca » comme on dit là-bas, jadis résidence des seigneurs que l'histoire avait donnés comme roitelets à la région, et qui, par-delà les siècles, ont souvent su jusqu'à nous, malgré la disparition de leurs privilèges, conserver intactes des traditions qui continuent à faire d'eux les maîtres spirituels de quelques kilomètres carrés. Busseto, à une quinzaine de kilomètres de la via Emilia, est l'une de ces bourgades ; c'étaient les Pallavicino qui, grands protecteurs des arts, avaient présidé aux destinées du pays; leur mécénat avait laissé, depuis leur disparition, à la fin du XVIIe siècle, de nombreuses traces que nous retrouverons bientôt. Les jeux de la guerre et du hasard, en 1813, avaient fait, de ce pays pourtant si différent du nôtre, un département français, le département du *Taro*, que Napoléon avait confié à un préfet français, et où les registres de l'état civil étaient réglementairement tenus en français. De sorte que l'acte de naissance d'un des plus grands musiciens italiens fut rédigé comme s'il s'était agi, à Châteauroux ou à Rennes, de la naissance d'un nouveau petit Français. Le fait est trop rare pour que nous ne citions point d'entrée ce morceau de prose administrative :

> « L'an 1813, le jour douze d'octobre, à neuf
> « heures du matin, par-devant nous, adjoint au
> « maire de Busseto, officier de l'État civil de la
> « commune de Busseto susdite, département
> « du Taro, est comparu Verdi Charles, âgé de
> « 28 ans, aubergiste, domicilié à Roncole, lequel
> « nous a présenté un enfant du sexe masculin,
> « né le jour 10 du courant, à 8 heures du soir,
> « de lui déclarant et de Louise Uttini, fileuse,
> « domiciliée à Roncole, son épouse, et auquel
> « il a déclaré vouloir donner les prénoms de
> « Joseph-Fortunin-François... »

Carlo Verdi, « illettré », tenait aux Roncole, petit hameau à 3 milles de Busseto, une auberge qui faisait également office de débit de boisson et d'épicerie ; là, s'arrêtaient les rares étrangers qui traversaient le pays, et surtout les colporteurs qui, avec leurs marchandises, venaient offrir aux paysans de la Bassa des provisions de rêve à bon marché. Sans être pauvres, les Verdi n'étaient pas très aisés, et il est probable que l'arrivée d'une fille à leur foyer, trois ans après la naissance du petit Giuseppe, leur rendit la vie un peu moins facile encore — surtout si l'on songe que la présence de cette Giuseppa-Francesca, très belle mais privée à peu près complètement d'intelligence, ajouta un profond chagrin moral à leur gêne pécuniaire. Elle mourut à dix-sept ans ; Verdi l'aimait tendrement.

L'enfance des grands hommes se teinte toujours, après coup, des couleurs de la légende [1], et des images d'Épinal

---

1. Notons simplement pour mémoire que Verdi crut longtemps être né le 9 octobre 1814 — au lieu du 10 octobre 1813 — et que ce n'est que dans sa vieillesse qu'il apprit qu'il avait, en fait, un an de plus...

Maison natale de Verdi

viennent souligner tel ou tel détail qui, en quittant les cadres
de l'histoire, cherche à renforcer une gloire qui se passerait
bien d'une semblable illustration. C'est le cas pour le jeune,
le très jeune Verdi, dont la prime enfance est en quelque
sorte balisée par des plaques commémoratives rappelant des
événements dont l'authenticité resterait souvent à démontrer.
En 1814, lancés à la poursuite des Français d'Eugène de
Beauharnais, Autrichiens et Russes traversèrent le pays ;
la réputation des Cosaques, jointe à la crainte de la solda-
tesque, suffirent à remplir les Roncole d'une sainte terreur ;
mais la légende, s'emparant du fait, fit monter les marches du
clocher à la jeune Mme Verdi, portant son nouveau-né
dans ses bras, et ce n'est qu'à cette fuite héroïque vers les
cloches des Roncole que l'Italie aurait dû le salut de Verdi.

L'église des Roncole

Et ce génie de Verdi lui-même, plus d'un hagiographe n'hésitera point à en voir l'origine dans le fait que des musiciens ambulants seraient venus donner une aubade sous les fenêtres de la jeune maman, au moment même de la naissance de Giuseppe, provoquant ainsi l'éclosion de l'harmonie dans son cerveau enfantin.

Ce qui à nos yeux est beaucoup plus important, ce sont les quelques données sûres qui nous permettent d'entrevoir, à cent cinquante ans de distance, la naissance d'un caractère et les premiers traits d'une vocation. Il faut savoir que, distrait par le son du petit orgue de l'église des Roncole où il servait la messe, le petit Verdi en oublia de donner au prêtre célébrant l'eau et le vin du sacrifice : voilà pour les premières traces de l'amour de la musique ; mais il faut savoir aussi que le prêtre, furieux, lui décocha un violent coup de pied qui lui fit descendre, trop rapidement à son gré, les degrés de l'autel, et que, fou de rage, l'enfant lui cria : « Que le bon Dieu te foudroie ! » : et voilà pour les premiers effets d'un caractère entier et ombrageux, vindicatif et coléreux, qui ne fit avec les années que s'affirmer. Une autre anecdote, bien que relevant déjà d'une imagerie plus facile, rapporte que Carlo Verdi acheta à son fils une petite épinette sur laquelle l'enfant commença à prendre un contact direct avec le monde des sons, et que l'accordeur, venu, à quelques temps de là, pour remettre l'instrument en état, refusa de se faire payer après avoir éprouvé la précocité du petit Giuseppe.

Jusqu'à l'âge de dix ans, ce dernier apprend à lire, à écrire et à compter avec le curé des Roncole, et découvre les premiers rudiments du solfège avec l'organiste Pietro Baistrocchi ; ce dernier est d'ailleurs rapidement dépassé par son élève, qui, de temps en temps, le remplace aux claviers pendant les offices.

Vint le jour où Giuseppe, le petit *Peppino*, n'eut plus rien à apprendre aux Roncole, et où ses parents se virent obligés de l'envoyer à Busseto, c'est-à-dire, pour eux, à la capitale.

Avant de poursuivre, il convient maintenant, comme dans un théâtre de marionnettes, de présenter les quelques personnages qui jouèrent chacun leur petit rôle dans le séjour que l'adolescent fit à Busseto. Et d'abord, le bourg lui-même, déchu sans doute de sa grandeur passée, mais qui conservait, sous le régime de Marie-Louise, duchesse de Parme, quelque chose du lustre des siècles évanouis. L'influence des Pallavicino, anciens maîtres de Busseto, se perpétuait, en ce début du XIXe siècle, par des institutions artistiques, philanthropiques, dont l'importance fut grande dans l'évolution du jeune Verdi.

Deux bibliothèques fort riches, une école de peinture, un gymnase, et même une université rabbinique, prouvaient le niveau intellectuel de la ville. Mais ses plus beaux titres de gloire, à cet égard, étaient les deux Académies, celle des *Emonia* et celle des « Lettres grecques », qui s'enorgueillissaient d'avoir compté dans leurs rangs des· esprits fort distingués et même quelques grands noms de la littérature italienne, comme Scipione Maffei. Toutes ces institutions, ainsi que la chapelle musicale, étaient entretenues par le « Mont de Piété et d'Abondance », qui, outre qu'il subvenait à d'aussi amples besoins, disposait d'un certain nombre de bourses annuelles destinées à des étudiants pauvres et dignes de mérite.

Dans cette ville, trois personnes, bien différentes d'origine, de formation et de tendances, vont s'intéresser au jeune Verdi, dont les dons naturels attirent tout normalement l'attention. D'abord, le mécène, qui fut la chance inespérée de Verdi à l'aube de sa carrière. Antoine Barezzi était un distillateur d'alcool qui, à ses revenus, ajoutait ceux que lui rapportait un gros magasin de denrées coloniales. C'était un très brave homme, qui adorait la musique, et qui la pratiquait lui-même avec assez de bonheur. Il animait la *Société Philharmonique* de Busseto, qui, sous son impulsion, prit un essor remarquable, et devint l'un des sujets d'orgueil légitime de la part des habitants.

Quant aux maîtres, ils furent l'un et l'autre attachés très fermement à leur élève, au point de se le disputer et de chercher à l'accaparer entièrement. D'un côté, un prêtre, professeur au gymnase, le chanoine Don Seletti, qui, devant l'esprit ouvert et évolué du jeune Verdi, songeait pour lui, tout naturellement, au sacerdoce. De l'autre côté, le directeur de l'école de musique de Busseto, maître de chapelle et organiste à la cathédrale, Ferdinando Provesi, un véritable artiste, contemporain de Paer, ancien élève à Parme du célèbre Rolla, et que la confiance éclairée des habitants de Busseto avait appelé à présider aux destinées musicales de la petite ville. Il est inutile de préciser qu'en Antonio Barezzi, Provesi avait aussitôt trouvé un soutien aussi efficace que solide, et que le mécène avait immédiatement compris que son devoir était d'appuyer l'effort du musicien.

Notre propos n'est point d'entrer ici dans le détail des escarmouches qui opposèrent Seletti et Provesi au sujet d'un élève qui, à l'un comme à l'autre, donnait d'égales satisfactions. Il suffira de savoir qu'au bout de quelques mois, Don Seletti fut le premier à constater que la carrière musicale était la seule qui convînt au jeune Verdi, et que ce dernier put, en toute tranquillité, se livrer à sa passion dominante.

Ces années d'apprentissage eurent, dans la vie de Verdi, une importance plus grande encore qu'on ne pourrait le penser. C'est à ce moment, en effet, entre quinze et dix-huit

Don Pietro Seletti

Ferdinando Provesi

ans, que se forma, inconsciemment mais sûrement, ce qui sera plus tard le style du maître. Ce dernier dira plus tard : *Io sono un paesano, je suis un paysan.* C'est comme un paysan qu'il apprendra son métier de musicien, en mettant tout de suite la main à la pâte, et en quelque sorte de l'intérieur. Malgré la présence de Provesi, qui fut bientôt dépassé par son élève, Verdi est le type parfait de l'autodidacte. Il y a des jeunes gens qui, de nos jours, apprennent le russe, la couture ou le dessin industriel grâce à l'École Universelle ; Verdi, lui, apprit le piano sans maître, en étudiant des méthodes imprimées. Et nous devons bien constater que c'est par un entraînement journalier qu'il conquit peu à peu sa jeune maîtrise. En effet, un beau jour de 1828, — il n'a que quinze ans — on joue de lui, au théâtre de Busseto, une *Sinfonia* qui remporte un succès éclatant. Entre le moment où il commence d'apprendre l'A B C musical et celui où il devient capable d'édifier une architecture qui se tienne — tenant compte de l'écriture orchestrale — il y a ces fameuses années d'apprentissage dont nous parlions, et où le brave Provesi ne joue — à part les leçons d'harmonie — qu'un rôle assez secondaire. Ce qui compte le plus à nos yeux, ce sont tous ces travaux humbles et répétés que le jeune Verdi effectua pour les *Filarmonici* de Busseto, ces morceaux d'opéras, ces fantaisies, ces marches, ces rondos, ces danses qu'il transcrit pour l'orchestre local, puis, sentant ses jeunes forces naître à une vie plus autonome, ces pièces originales qu'il écrit pour ce même orchestre. Des leçons d'harmonie de Provesi à la *Sinfonia* citée plus haut, il y a donc les mille échelons gravis par un bon apprenti formé dans la pratique. Ce qu'il apprendra plus tard à Milan, ce ne sera que pour raffiner sur ce qu'il saura déjà. Et nulle éducation ne sera moins livresque que la sienne. A part quelques partitions apportées par Provesi, le jeune Verdi lit fort peu de musique. Il en fait, il en écrit à tour de bras, de la mauvaise sans doute, mais aussi de la moins médiocre, comme cette sorte de cantate qu'il compose à quinze ans sur les *Délices de Saül*, d'après un poème d'Alfieri, et où ses contemporains voient déjà la marque de son tempérament futur.

On nous excusera de nous étendre ainsi sur ces premières années. Mais elles sont sans doute uniques en leur genre dans la vie d'un musicien. Les uns, comme Mozart, savent tout à cinq ans sans avoir jamais rien appris. Les autres se forment d'une manière classique, dans les Conservatoires —

ou tout seuls, avec des partitions. Verdi, lui, apprend son métier comme on se jette à l'eau pour apprendre à nager, et cette manière un peu rude de procéder, tout en convenant fort bien à son tempérament, se retrouvera longtemps, par ses effets, dans son écriture musicale ultérieure. Il est incontestable que tel ou tel passage du *Trouvère* ou de *Traviata* se ressent d'un commerce peu commun avec les orchestres d'harmonie, et que bien des enchaînements, harmoniques ou mélodiques, du Verdi le plus grand, ont leur origine dans quelque *ballabile* des jeunes années. Cette formation artisanale, avec tout ce qu'elle peut comporter de rugueux et de mal dégrossi, entraîne en même temps une nécessité évidente d'honnêteté, que l'acquisition trop facile du métier risque souvent de reléguer au second plan. Nul musicien ne sera plus honnête que Verdi ; et sa probité, — celle-là même qu'il montrera dans tous les actes de sa vie — se retrouve dans la recherche passionnée, progressive, empirique, d'un accord idéal entre l'inspiration et le métier, entre l'idée et l'expression. De sorte que ce ne sera point un métier « standard » que possédera Verdi, un de ces métiers à tout faire, passe-partout, qui conviennent à toutes les musiques, et qui recouvrent d'un vêtement uniformément brillant les inspirations les plus opposées. Non, ses moyens d'expression seront ceux qui conviendront exactement à ce qu'il aura à dire, qui adhéreront le plus parfaitement à sa pensée musicale — parce qu'ils seront nés en même temps que cette dernière, et que, inséparables dès le berceau, pensée et expression se conditionneront en quelque sorte mutuellement. Les progrès de la substance musicale, chez Verdi, ne sauraient se dissocier des progrès de la technique. Et tout se passe comme si c'étaient souvent ces derniers qui faisaient naître les premiers. Si la langue que parle Verdi dans *Otello* ou dans *Falstaff* marque, dans le sens du « modernisme » (un bien vilain mot que Verdi n'eût pas aimé...), un pas en avant notable par rapport à la langue d'*Aïda*, c'est que, dans l'intervalle, l'artisan a encore multiplié les moyens qu'il possédait. Cette interaction entre le fond et la forme, entre la pensée et la technique, est remarquable en ce qu'elle n'est point, chez Verdi, à sens unique. Si une idée musicale neuve commande souvent un mode d'expression nouveau, il arrivera plus d'une fois qu'une plus grande liberté technique fera naître d'elle-même — en les permettant — de nouvelles inspirations.

Cette vie de travail obscur aurait pu durer encore longtemps si quelques événements extra-musicaux n'étaient venus en changer le cours. Le jeune Verdi, amené peu à peu à habiter chez son bienfaiteur Barezzi, s'éprend tout naturellement de la fille de ce dernier, Margherita. Ces amours juvéniles, tout en satisfaisant pleinement Antonio Barezzi, interdisent au jeune Verdi de continuer à habiter sous son toit — et lui commandent de se préparer une situation stable. Pour cela, une seule solution, aller à Milan, se présenter au Conservatoire, qu'une enviable réputation pare, aux yeux des provinciaux, d'un immense prestige. Ici entre en jeu l'une des institutions les plus heureuses de l'ancien État pallavicinien : ce « Mont de Piété et d'Abondance » dont les buts s'accordaient toujours, depuis des siècles, avec la philanthropie la mieux éclairée. Nous avons dit plus haut que cet organisme, entre autres activités, attribuait des bourses d'études substantielles à des jeunes gens méritants de Busseto. Antonio Barezzi conseille donc au père Verdi de faire une demande au nom de son jeune fils, demande qui fut acceptée ; ce qui permit au jeune boursier de prendre, un beau matin de 1832, la route de Milan, entre son père et le fidèle Provesi, qui allait le recommander à son vieil ami Rolla.

Le Conservatoire de Milan se nomme, de nos jours, Conservatoire Giuseppe Verdi, sans doute pour excuser l'échec fameux que subit, en cette année 1832, celui qui devait être un des plus grands compositeurs d'Italie. Il est toujours facile, après coup, de tourner en dérision les arrêts de ceux qui, examinateurs ou critiques, sont obligés de formuler un jugement définitif en n'ayant comme base que des éléments souvent insuffisants. Les verdicts des jurys, dans les concours musicaux, sont aussi sujets à caution — quelle que soit la bonne volonté des jurés — que ceux des critiques qui donnent leur opinion sur une première audition. Mais la faute n'en incombe pas forcément à ceux qui formulent ces jugements et qui n'ont pas notre recul vis-à-vis de la chose à juger.

On ne peut donc en vouloir à ceux qui, entendant et voyant le jeune Verdi à dix-neuf ans, et pour la première fois, lui refusèrent l'entrée au Conservatoire de Milan. De plus, il fut « recalé », non sur des épreuves d'écriture, mais

Margherita Barezzi, sa première épouse (peinture de Mussini). ►

pour la manière dont il jouait du piano ; nous savons de quelle façon il avait appris à toucher de cet instrument, et il est évident que sa technique, même si elle lui permettait d'aborder des œuvres assez difficiles, ne devait pas avoir grand-chose d'orthodoxe. Piano et composition étaient alors indissolublement liés au Conservatoire de Milan. L'inaptitude du jeune Verdi à jouer convenablement du piano suffit à l'écarter des classes de composition.

Il ne sert à rien d'épiloguer sur un événement qui, dans toutes les biographies de Verdi, tient une place exagérée. Nous n'avons, nous qui venons après plus d'un siècle, ni à condamner les jurés, ni à leur trouver des excuses dont ils n'auraient que faire. Il nous suffit de constater, pour l'histoire, que Verdi, n'ayant pas été admis au Conservatoire, demeura à Milan pour travailler avec Lavigna, remarquable théoricien et excellent professeur. A ce sujet, insistons sur le fait que Verdi était déjà en possession d'un métier assez solide, et que l'enseignement de Lavigna se borna à des exercices tout théoriques de contrepoint et de fugue ; d'ailleurs, lui-même insistera plus tard sur ce point, lorsqu'il écrira : *Personne ne m'a jamais enseigné l'instrumentation, ni la manière de traiter la musique dramatique.* Les leçons de Lavigna contribueront seulement à lui assouplir la main, sans pour autant avoir quelque influence sur les aspects déjà bien dessinés d'un métier tout personnel. Le thème latin a toujours été un exercice fort utile pour l'esprit : contrepoint et fugue joueront exactement, dans la formation du compositeur, le même rôle. Et Verdi restera, après comme avant les leçons de Lavigna, le type parfait de l'autodidacte, c'est-à-dire un homme qui n'aura que sa propre expérience, acquise au jour le jour, pour bâtir son métier.

Lavigna, en tout cas, est content de son élève, aussi bien pour son travail théorique que pour son irréprochable conduite et pour son sérieux. Le jeune Verdi a déjà, en effet, ce côté quelque peu rigoriste (venu de la morale paysanne) qu'il conservera jusqu'à sa mort — même lorsque sa vie privée semblera se dérouler « en marge ». En même temps, il se passionne pour la vie artistique de Milan, assez pauvre, et molestée quelque peu par la censure du gouvernement autrichien. En effet, à part Ricci, Mercadante et Donizetti, aucune des nouveautés marquantes du répertoire lyrique contemporain n'est connue du public milanais, auquel on refuse jusqu'au déjà célèbre *Guillaume Tell* de Rossini, à cause des interprétations politiques que l'on pourrait donner de certains passages. Quoi qu'il en soit, Giuseppe Verdi découvre, avec le théâtre, sa véritable vocation.

Mais, s'il est à Milan, c'est pour préparer sa situation future. Et les circonstances vont le lui rappeler rapidement. En effet, en juillet 1833, meurt Provesi, son ancien maître, ce qui rend vacante la charge de maître de chapelle à Busseto, qui est jusqu'à présent, pour lui, sa famille et ses protecteurs, son objectif le plus immédiat : de cette manière seulement, il pourra faire vivre le foyer qu'il rêve de fonder avec Margherita Barezzi. La mort de Provesi marque le début d'une période héroï-comique, où Verdi sera l'origine d'une lutte d'influences entre deux factions qui se partageront Busseto. Tout viendra de ce que le prévôt de Busseto, Don Ballarini, soutiendra la candidature d'un certain Ferrari, de Guastalla, et qu'il parviendra à le faire nommer directement, sans qu'au préalable l'ouverture d'un concours ait été décidée. « Inde iræ », et Busseto se scinde exactement en deux partis, les Ferraristes et les Verdistes, ces derniers comportant évidemment, derrière Antonio Barezzi, tous les « Filarmonici ». Il n'entre nullement dans notre propos de retracer ici l'historique d'une lutte acharnée qui, par plus d'un côté, rappelle avant la lettre les démêlés de Don Camillo et de Peppone... Toujours est-il que, pendant deux ans et demi, Verdi partagera son temps entre son travail milanais avec Lavigna, et les démarches, à Busseto et à Parme, en vue de faire casser la décision de Don Ballarini. Il faudra tout l'archarnement des partisans de Verdi pour que le gouvernement de Marie-Louise, grande duchesse de Parme, ordonne l'institution d'un concours régulier, annulant par là même la nomination abusive de Ferrari. Ce ne sera qu'en février 1836 que la situation sera enfin dénouée, par la nomination officielle, au poste de maître de chapelle de Busseto, du jeune Giuseppe Verdi. Ce dernier avait dû montrer bien de la ténacité pour vaincre tous les obstacles, et surtout pour planer au-dessus des rivalités qui, en son nom ou contre lui, déchiraient la petite ville.

Toujours est-il que, aussitôt nommé, et par là même rassuré sur l'avenir, il reçoit la main de Margherita Barezzi, la fille de son bienfaiteur, plus jeune que lui d'une année. Le mariage a lieu, à Busseto, le 5 mai 1836. Aux années d'apprentissage vont succéder les années de lutte, qui ne finiront qu'à la mort même de Verdi.

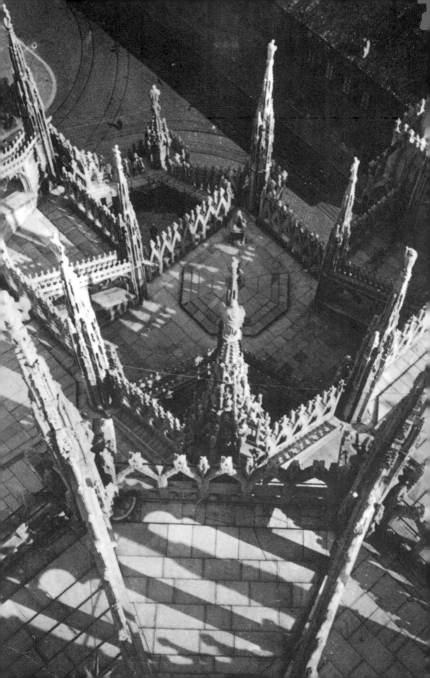

Milan contre Busseto

ais cette vie d'homme, qui sera plus tard si homogène, si bien et si régulièrement remplie, va commencer sur un faux départ, comme si le destin avait voulu, avant de le combler, mettre à l'épreuve le jeune Verdi. Les premières années actives de sa carrière — quels que soient d'ailleurs les succès qu'il y pourra remporter — représenteront une sorte de « mesure pour rien », avant le début véritable : le triomphe de *Nabucco*. Le cadre familial lui-même va tout d'un coup disparaître, alors qu'il semblait — une femme, deux enfants... — tout contenir pour être durable.

Les jeunes époux s'installent auprès d'Antonio Barezzi, qui leur fournit, en vrai père de famille, tout ce qui peut leur manquer. Et Verdi, consciencieux maître de chapelle, se dévoue corps et âme à la vie musicale de Busseto. Il écrit,

Le Dôme de Milan

La maison natale des Roncole (peinture d'Achille Formis).   *Rocca di Busseto (peinture de Marches*

à longueur de journée, des marches, des messes, des nocturnes, des vêpres, des symphonies, des romances qui sont immédiatement exécutées et qui, en faisant le bonheur de ses compatriotes, contribuent à former définitivement son métier. De plus, il donne des leçons aux élèves de l'école de musique de Busseto. Mais le théâtre, nous l'avons vu, l'attire déjà. Il faut savoir que, pendant son séjour studieux à Milan, il avait fait la connaissance d'un jeune amateur de musique, Pietro Massini, qui s'occupait fort activement d'une société de musique, et qui, l'ayant vu à l'œuvre maintes fois, l'avait pris en estime et en amitié. Massini lui avait, dès 1834, procuré un livret d'opéra, œuvre d'Antonio Piazza ; livret sans grand intérêt, mais qui ouvrait au jeune compositeur les horizons du théâtre et de la scène. Par là même, pénétrait dans sa vie ce qui en sera le démon intérieur, et qui la mènera sans trêve jusqu'à son achèvement. Tout va se passer comme si, dans ces premières années, deux forces luttaient pour s'emparer de Verdi, l'une cherchant à faire de lui le parfait maître de chapelle de Busseto, l'autre l'attirant à Milan, dans le halo fascinant de la rampe. Et bien que la jeune Margherita ait épousé, avec Verdi, les ambitions théâtrales de ce dernier — bien qu'elle soit la première, le jour venu, à hâter l'installation à Milan, à comprendre cette démission que Verdi ne pourra pas ne point donner à Busseto, — elle n'en appartient pas moins au cadre rassurant de la petite cité provinciale.

Le destin va d'ailleurs se charger bientôt de renouveler les personnages qui vont jouer les grands rôles autour de Verdi. Pendant deux ans, ceux que Verdi va passer à travailler pour les « Filarmonici » de Busseto, mais aussi à composer son premier opéra, les marionnettes vont se pousser les unes les autres, les unes obligeant les autres à leur céder le pas. Le jeune foyer fondé par Giuseppe Verdi, à peine ébauché, va se dissoudre dans le néant ; les deux enfants, Virginia et Icilio-Romano, vont disparaître — et au même âge de seize mois tous les deux. Lorsque la tendre et douce Margherita mourra à son tour, en 1840, cette sorte de concession que le sort semblait vouloir faire à une vie régulière et tranquille est terminée, et, avec de nouveaux partenaires, ceux du théâtre cette fois, l'existence de Verdi va véritablement commencer.

En 1839, le sort hésite encore, semble-t-il, à préciser ses intentions. La vie familiale du jeune maestro semble être pour lui le centre unique d'intérêt, et, s'il a donné sa démission à Busseto, c'est pour transférer l'intimité de son foyer à Milan. Le démon théâtral, qui veille sur sa proie, se heurte encore à la naïve candeur de Margherita — et à l'innocence de Verdi lui-même, qui ne voit pas encore exactement quelle sera sa voie définitive. Cependant, cette innocence commence à rencontrer d'étranges interlocuteurs, des interlocuteurs qui appartiennent déjà à ce monde dangereux dont Verdi ne sait pas encore qu'il en sera l'un des maîtres incontestés. Actuellement, en 1839, il risque surtout d'en devenir la victime — car il a affaire à forte partie. Le théâtre de la Scala — qui, au fond, est déjà le but de sa jeune carrière — est aux mains d'un remarquable impresario, Merelli, qui a déjà dirigé des entreprises théâtrales dans plus d'un pays. C'est un vieux renard qui, tout en ne connaissant que son intérêt personnel, ne recule quelquefois point devant un beau risque à courir. Or il se trouve que le jeune Verdi, tout candide encore, puisera dans son fonds paysan suffisamment d'astuce pour parvenir à convaincre Merelli de monter à la Scala son premier opéra. Le destin, là aussi, va jouer un jeu qui peut paraître curieux. Car c'est la Strepponi, celle-là même qui sera la seconde femme de Verdi, qui va servir de « deus ex machina » dans l'affaire d'*Oberto*, ce premier opéra sur lequel le jeune compositeur fonde tant d'espoir. Qu'elle ait été, elle qui avait vingt-trois ans en 1838, la maîtresse du redoutable Merelli, cela ne fait pour nous aucun doute. Mais les chanteuses d'opéra ont toujours dû accommoder leur genre de vie avec certaines nécessités, et la liaison avec Merelli faisait partie de ces dernières, pour une jeune débutante dont tout le monde, à l'époque, vante la discrétion, la gentillesse et les rares vertus familiales, puisqu'elle fait vivre tous ses frères et sœurs. En tout cas, son ascendant sur Merelli est tel que le jeune Giuseppe, sa partition sous le bras, ne peut trouver de meilleure recommandation que la sienne et que, pour l'obtenir, il va lui montrer son œuvre ; et ce sera la Giuseppina Strepponi, alors dans sa jeune gloire, qui, parlant de Verdi à Merelli, va décider ce dernier à inscrire l'*Oberto, Conte di San Bonifacio* de G. Verdi au nombre des trois nouveautés obligatoires de l'automne 1839. Et ce sera pendant cette période de préparation que le sort, en faisant disparaître (août 1838 et septembre 1839) les deux bébés du jeune couple, commencera, en quelque sorte, à faire place nette pour que le nouveau Verdi puisse naître.

Le 17 novembre 1839 a lieu la première d'*Oberto*, qui remporte un succès fort honorable. Le bon artisan, consciencieux et honnête, qu'était Verdi ne pouvait rencontrer un échec dans un ouvrage où étaient en jeu, ainsi qu'il convenait à sa nature, des passions élémentaires. Il est, en tout cas, également juste de dire que le Verdi du *Trouvère* et de *Rigoletto* est en germe dans *Oberto*, et que ce même *Oberto* est une œuvre sans aucun intérêt. On peut tout faire « présager » à une œuvre de jeunesse. Et il est évident que les défauts qu'on trouve dans cet *Oberto* continueront longtemps à encombrer des œuvres plus achevées. Mais, nous l'avons dit, chez Verdi, le style est étroitement tributaire du métier. Les progrès techniques conquis grâce à un travail opiniâtre modèleront la langue que parlera Verdi. Si le langage d'*Otello* est plus raffiné que celui de *Traviata*, c'est que l'auteur aura fait, sur le plan du métier, des pas de géant qui l'auront amené à s'exprimer d'une manière plus définitivement recherchée. Dans *Oberto*, le grand Verdi n'est représenté que par l'exagération des défauts que son génie s'efforcera, par la suite, de faire disparaître. Pour nous, *Oberto* n'aura d'importance qu'historique, par cette chance merveilleuse qui fut donnée à ce jeune compositeur de vingt-six ans d'avoir un de ses ouvrages joué avec succès à la Scala, et par cet ensemble de conjonctures presque diaboliques qui, du jeune maître de chapelle vertueux et naïf, vont faire, presque d'un jour à l'autre, l'un des espoirs de l'école italienne. Margherita va mourir à son tour, le 18 juin 1840, pendant qu'il prépare son premier opéra-bouffe. Les voies préparées par le sort seront désormais libres.

Cet opéra-bouffe, qu'on lui avait commandé après le succès d'*Oberto*, s'intitulait *Un giorno di regno*, ou *Il finto Stanislao*. On a voulu voir dans la cascade de malheurs qui s'était abattue sur le pauvre compositeur la raison principale du retentissant échec de la pièce, qui n'eut qu'une seule représentation. Il est évident que ces morts successives, celles de ses deux enfants, puis celle de sa femme, formaient une toile de fond assez étrangement funèbre pour l'élaboration d'une œuvre avant tout comique. Mais, à notre avis, la vraie cause de l'échec d'*Un giorno di regno* n'est pas là : après avoir applaudi au succès d'un débutant dans le genre dramatique, le public, déconcerté par une volte-face aussi immédiate, se refusait tout simplement à admettre son talent dans l'opéra-bouffe.

Ceci dit, la raison profonde de cet échec réside dans l'incompatibilité du génie de Verdi jeune et du genre comique. A la fin de sa carrière, sans doute, *Falstaff* éclatera, comme le rire malicieux d'un vieil homme dont la philosophie, née de l'expérience, s'accommode fort bien de la bonne humeur. Cette réaction, on ne peut la demander au Verdi de vingt-sept ans, qui devine soudainement que son vrai domaine est celui du drame et de la passion, de la violence même et de l'exaltation, mais qui, devant la commande d'un impresario, devant l'argent qu'il va pouvoir gagner, ne sait point refuser, et se lance dans une entreprise contraire à son génie. Il n'y a, dans *Un giorno di regno*, que du mauvais Rossini, que de cette « sauce » musicale prête à accompagner n'importe quelle situation, et dont les rythmes mille fois entendus n'apportent aucun de ces sursauts qui réveillent l'auditeur. Sans doute la partition n'a-t-elle point eu de chance. Mais il est trop facile d'accuser le destin lorsqu'il n'est point responsable, et d'ailleurs, jamais Verdi ne chercha à défendre cet opéra-bouffe ; c'est à peine s'il tenta d'en excuser la faiblesse par ses malheurs familiaux.

De toute façon, maintenant, la mesure pour rien est battue, le génie va pouvoir chanter librement.

Les mois qui suivirent ce « fiasco » furent extrêmement pénibles pour Verdi. Ayant perdu, en un temps relativement court, ses enfants et sa femme, il était maintenant en proie à une de ces crises de découragement comme seule l'hostilité soudaine du public peut en susciter chez un auteur. Le vrai Verdi va naître des cendres de l'ancien, pendant ces longues journées de désespoir où Verdi n'avait même pas la consolation de voir sa première œuvre continuer sur sa lancée, puisque les reprises que l'on fit d'*Oberto* dans quelques villes d'Italie ne rencontrèrent nulle part la faveur qui avait accueilli la première milanaise. Sous le coup de l'échec de *Un giorno di regno*, Verdi avait juré de ne plus jamais composer d'opéra. Il traînait à Milan une existence déprimante, ne mangeant presque pas, ne travaillant pas, et n'ayant aucun courage. C'est à ce moment que le destin frappe à nouveau.

L'impresario Merelli avait commandé un opéra au compositeur allemand Nicolaï, et lui avait confié un livret de Temistocle Solera, sur l'histoire du roi Nabuchodonosor. Mais Nicolaï n'était pas très pressé de travailler sur ce livret ; Merelli se souvint alors d'avoir donné à Verdi un livret

Il Proscritto ; il obtint facilement ce dernier des mains de Verdi, auquel il confia en échange, et « pour voir », le livret refusé par Nicolaï. Verdi emporta, presque malgré lui, le livret de Solera chez lui. Sa force, ses beautés certaines, la grandeur de certaines scènes firent sur lui une telle impression que, malgré ses résolutions, peu à peu il se laissa emporter par le charme, et que presque inconsciemment il se mit au travail. Il avait fallu, pour le tirer de la torpeur où il s'était réfugié après son dernier échec, le coup de foudre ressenti devant un livret digne de lui et convenant à son tempérament. Il est heureux, pour la musique, que Merelli ait eu l'idée, en ce jour d'hiver de 1840, de mettre de force dans les mains de Verdi le livret que boudait Nicolaï, et qu'il lui ait promis en même temps de monter l'opéra. Si celui-là naissait un jour...

L'acte de naissance du nouveau Verdi devrait donc être daté du 9 mars 1842, jour de la première représentation de ce *Nabucco*, pour employer le titre familier que toute l'Italie lui donna rapidement. Et, de fait, tout ce qui fera la vie et la personnalité de Verdi se trouve réuni pour la première fois. On se souvient de la part prise par la Strepponi, jeune et déjà célèbre chanteuse, à la création d'*Oberto* par Merelli. Son appui va être encore plus efficace pour *Nabucco*. D'abord parce qu'il y a là un rôle pour elle, un rôle qui l'enthousiasme dès que Verdi le lui montre. Et puis, parce qu'à force de s'intéresser au sort de ce jeune compositeur, elle sent naître en elle un sentiment tout autre que l'intérêt. Toujours est-il que son appui total soutient Verdi, et que *Nabucco* marque le début d'une amitié qui, en devenant de l'amour, ne perdra rien de sa solidité. De plus, *Nabucco* marque pour Verdi le début d'une gloire parfaitement populaire, grâce à quelques chœurs que l'Italie entière va chanter rapidement. *Va, pensiero, sull'ali dorate*, en particulier, conquiert la faveur immédiate de tout le pays. Et les Italiens du peuple, séduits par le langage direct de Verdi, le baptisèrent aussitôt le « père des chœurs ». Enfin, avec *Nabucco*, Verdi commence à s'intégrer au *Risorgimento* et à payer de sa personne pour l'unité italienne et la libération des provinces encore sous le joug étranger. On sait que le principal personnage de *Nabucco* est en réalité le peuple juif, en exil à Babylone, et qui chante la patrie perdue en des termes qui pouvaient fort bien convenir à la situation des Milanais soumis à la domination autrichienne. Verdi, dès lors, devient

A
GIUSEPPINA STREPPONI

per la sera della sua beneficiata

nel Teatro Gallo in Venezia

L'Autunno 1835

IL GALLO del mattin primo risponde
　　Al crepuscolo lontano,
　　E al suo vigile sguardo non s'asconde
　　Peregrino, vago, e strano:
　　Oggetto di virtù rara fecondo,
　　Cui mandàn gli astri ad allegrare il mondo.
Tosto l'invita, e di cotanta luce
　　Adorna le sue scene,
　　Ch'in ogni volto, e d'ogni cor traluce
　　Nova gioja, e dolce spene
　　D'arrestar la Sirena, a cui già lice
　　Chiedere un serto all'immortal FENICE.

tout naturellement l'un des personnages de la mythologie de la « Résistance ». *Va, pensiero...* devint tout de suite le symbole de la patrie réduite en esclavage et qui attend sa libération. Plus tard, Verdi sera député, jouera un rôle politique. Il y sera amené par l'attitude que lui dicta, dès la première, le succès de *Nabucco*.

On a raconté souvent la « première » de *Nabucco*. Verdi, suivant l'usage du moment, était dans l'orchestre, auprès des violoncellistes, et attendait là l'accueil, favorable ou non, que le public ferait à son ouvrage. Lui-même, plus tard, avouera avoir cru, lors des premiers déchaînements de l'enthousiasme du public, aux manifestations bruyantes d'une cabale dirigée contre lui. Lorsqu'il eut compris le sens véritable de cette explosion, on peut dire qu'il ne restait en lui plus rien du Verdi de Busseto, du petit maître de chapelle, du mari de la douce Margherita. Maintenant, il connaît la gloire ; il est l'amant d'une chanteuse célèbre, et il sait comment toucher directement un public dont il a su faire vibrer les fibres les plus intimes. Le nouveau, le vrai Verdi est né, celui qui, aux côtés de Giuseppina Strepponi, va mener à partir de maintenant une vie de travail intense, qui sait désormais quelle est sa voie et quel sera son langage, dont le cœur bat déjà à l'unisson de celui de tout un peuple, qui, à vingt-neuf ans, a la chance de prendre effectivement la succession du dernier de ses trois grands prédécesseurs, c'est-à-dire de Donizetti, qui, depuis le silence de Rossini et la mort de Bellini en 1835, régnait en maître sur la production italienne — et qui devient du jour au lendemain un personnage du Milan mondain, suscitant des passions ferventes, faisant naître l'amour sous ses pas, et hantant, lui, le paysan des Roncole, les salons les plus élégants de Milan, comme celui de Giuseppina Appiani ou celui de la comtesse Clara Maffei, qui restera sa confidente toute sa vie.

Les femmes joueront d'ailleurs pendant de longues années un rôle important dans la vie de Verdi. Il ne faudrait pas faire de lui, à cause de son bon sens paysan et de sa solidité toute terrienne, une sorte de puritain austère. Verdi trouva toujours le moyen de concilier une vie sentimentale parfois assez nombreuse avec un maintien d'une incoercible dignité. Au moment du succès de *Nabucco*, deux femmes au moins tiennent une place importante dans ses pensées, la Strepponi et l'Appiani. Entre la femme du monde, dont le charme avait conquis et lié Donizetti, et la cantatrice célèbre, le cœur de Verdi balance. Bientôt, une jeune chanteuse de vingt et un ans, la Frezzolini, va venir ajouter son frais visage à ceux de ces dangereuses concurrentes. C'est elle en effet qui crée le premier rôle des *Lombardi alla prima crociata*, quatrième ouvrage lyrique de Verdi, représenté à la Scala le 11 février 1843. Plus ou moins consciemment, Verdi profita de cet opéra pour fignoler son personnage et sa légende ; il est devenu, avec *Nabucco*, un musicien national, le porte-drapeau des aspirations de liberté et d'unité qui font le *Risorgimento*. Il entend le rester, et profiter d'une publicité si favorable. Les *Lombardi* ne sont donc, en fin de compte, que le pendant de *Nabucco*, utilisant les mêmes recettes et exploitant les mêmes effets. En particulier, les chœurs continuent de servir la renommée de Verdi, et *O signore, dal tetto natio*, qui semble calqué sur le *Va, pensiero* de *Nabucco*, remporte le même succès pour des raisons tout à fait semblables. Et puis, Verdi est pour la première fois — et ce ne sera pas la dernière, loin de là... — en butte aux vexations de la censure autrichienne, ou plus exactement au veto de l'archevêque de Milan, Gaisruck, qui entend lui faire supprimer certaines scènes « sacrilèges ». Verdi, qui sait ce qu'il vaut, et ne veut faire aucune concession, montre dès cette occasion cette fermeté, têtue et aveugle, qu'il opposera toute sa vie aux pressions d'une administration tracassière. Il sort vainqueur de l'épreuve, les *Lombardi* ne subissent aucune coupure et le public leur fait un accueil enthousiaste.

« *Anni di galera...* »

Montrant, avec un génie qui s'affirme de plus en plus à chaque œuvre, un sens très paysan des affaires, Verdi, qui a conquis en deux ans la gloire, ménage maintenant ses effets. Quatre œuvres représentées au théâtre de la Scala suffisent ; il convient maintenant de se tourner vers les autres théâtres d'Italie, qui d'ailleurs, pour certains en tout cas, ont un renom égal au célèbre théâtre milanais. Parmi eux, le théâtre de la *Fenice*, à Venise, jouit d'une grande réputation. Son directeur, le comte Carlo Mocenigo, a déjà monté, avec un grand succès, le *Nabucco* du jeune Verdi ; devant l'accueil réservé par Milan aux *Lombardi*, il demande à Verdi de composer l'œuvre nouvelle que son cahier des charges l'oblige de monter, pour le carnaval de 1843-44. Et Verdi, ayant accepté, se met en quête d'un nouveau livret. De même

Le carnaval à la Scala de Milan (dessin de Bonsemore). ▶

BONAMORE dis.

qu'il sent la nécessité de faire créer ses œuvres nouvelles ailleurs qu'à Milan, pour soigner l'universalité de son renom, Verdi se rend compte qu'il ne doit pas user jusqu'à la corde un genre trop déterminé, même si ce dernier, avec le succès, lui a apporté une gloire déjà durable. Il sait aussi que son tempérament le porte à traiter les passions les plus violentes, les plus réelles et les plus humaines. *Nabucco* et les *Lombardi* mettaient en jeu le surnaturel, la foi et les sentiments de tout un peuple. Désormais, Verdi va s'occuper des individus. Et, tout naturellement, a lieu la rencontre prédestinée entre son génie et celui de Victor Hugo. Les oppositions, les jeux de l'amour et de la mort, du noir et du blanc, du bien et du mal, du vice et de la vertu, toute cette rhétorique hugolienne convient parfaitement à Verdi, qui est, en musique, le représentant le plus authentique de ce romantisme dont Victor Hugo est le chef littéraire incontesté. Mocenigo, d'ailleurs, ne s'y trompait pas, malgré la jeunesse du compositeur, et il avait eu l'idée première de lui commander un *Cromwell*, d'après la pièce dont Hugo avait voulu faire, dès 1827, le modèle du drame romantique. Mais les défauts qui nuisent à la pièce lorsqu'on veut la porter à la scène empêchèrent Verdi d'en adopter le projet ; et il se tourna vers cet *Hernani* qui, en déclenchant la célèbre bataille, avait assuré la victoire de la nouvelle école. Dès *Ernani*, Verdi découvre définitivement le terrain sur lequel il sera le maître incontesté. Les passions élémentaires, opposées, farouches, pures lui conviennent parfaitement. Et sa collaboration avec Victor Hugo, avec le poète qui haïssait la musique au point d'interdire qu'on en « déposât le long de ses vers », commença par un succès, le 9 mars 1844, succès que les soirées suivantes transformèrent en triomphe. Cette collaboration trouvera d'ailleurs sa consécration plus définitive encore avec *Rigoletto*.

Quoi qu'il en soit, dès à présent Verdi a trouvé son style, ainsi que les terrains où il est sûr de sa suprématie. Et l'on peut déjà, sans connaître ses œuvres ultérieures, présager de leur allure générale, oscillant entre la grande fresque historique, à la manière de *Nabucco*, et les combats de passion, comme *Ernani* ; l'équilibre va se faire de plus en plus entre ces deux tendances, entre l'inspiration pour ainsi dire « chorale » et les cris de la passion individuelle. Cet équilibre, Verdi le trouvera d'autant mieux qu'il instaure des mœurs nouvelles dans la préparation des opéras.

On sait que, jusque-là, les compositeurs « engagés » (« scritturati ») par un impresario devaient fournir à ce dernier, pour une date fixée et en un temps record, une œuvre lyrique sur un livret imposé par l'impresario, ou, dans le meilleur cas, élu par le compositeur parmi ceux que l'impresario voulait bien soumettre à son choix. Malheureusement, les impresarii, qui ne songeaient (tout naturellement) qu'à leur intérêt, ne cherchaient jamais à faire un gros effort sur la qualité des livrets qu'ils payaient un prix dérisoire, soit à des spécialistes chevronnés — mais de troisième ordre —, soit à de jeunes débutants qui trouvaient là une occasion inespérée — et rémunérée — de faire leurs premières armes. De là l'incroyable médiocrité de bien des *libretti* des prédécesseurs de Verdi, — heureux lorsqu'une œuvre originale avait précédé le livret, et en garantissait en quelque sorte les cadres dramatiques. Avec Verdi, soucieux de s'entourer des meilleures garanties de succès, la méthode va peu à peu changer. Avant d'en arriver à choisir lui-même, librement, un sujet et à commander directement son livret à un littérateur de son choix, Verdi va imposer sa volonté en orientant d'abord le choix de l'impresario vers les sujets convenant le mieux à son tempérament, puis, et surtout, en travaillant en étroite collaboration avec le librettiste, ce qui ne s'était jamais vu. On sait la part qu'il prendra au livret d'*Aïda*. Ce qu'on sait moins, c'est que, dès *Ernani*, écrit avec le librettiste F. M. Piave, Verdi va s'occuper effectivement de la préparation du texte qu'il aura à mettre en musique, et qu'il acquerra par là une liberté beaucoup plus grande dans le domaine musical. Sa correspondance avec ses librettistes successifs sera révélatrice à ce sujet — et souvent ce sera Verdi lui-même qui suggérera et imposera à son collaborateur telle ou telle tournure, telle ou telle phrase qui lui permettront de trouver l'expression sonore définitive. La carrière entière de Verdi se fera donc sous le signe d'une libération de plus en plus complète vis-à-vis des contraintes qui, en Italie, bridaient l'inspiration des compositeurs d'opéras. *Otello* et *Falstaff* seront l'aboutissement normal de toute une vie de luttes sur ce terrain.

Après *Ernani*, vont se succéder quelques œuvres que la postérité, seul juge définitif en ces matières, considère comme secondaires. Et, de fait, soit à cause de circonstances histo-

riques troubles, soit à cause de l'invraisemblance de certains
livrets, soit enfin parce qu'après ses premiers grands succès
le génie de Verdi connaissait — et très normalement —
une période de fatigue, les quatre opéras qui suivent *Ernani*,
malgré un accueil souvent favorable du public contemporain,
n'ont pas cet ensemble de qualités si personnelles qui constituent l'originalité de Verdi. *I due Foscari* voient les feux
de la rampe à Rome, le 3 novembre 1844 ; *Giovanna d'Arco*
est créée à la Scala le 15 février 1845 ; la première représentation d'*Alzira* a lieu à Naples le 12 août 1845, et c'est
le 17 mars 1846 que le théâtre de la Fenice à Venise donne
Attila. Comme on peut s'en rendre compte par les dates
mêmes de ces représentations, elles sont fort rapprochées
les unes des autres. Et Verdi ne consacre pas tout son temps
à la composition de ses opéras. (Notons simplement qu'il
écrivit la musique d'*Alzira* en vingt jours, et qu'il l'orchestra en six !)

Il a toujours eu le sens des affaires ; dès à présent, il entend
faire fructifier au mieux une gloire qu'il a eu la chance unique
de connaître dès ses jeunes années. De même qu'un fermier,
peu à peu, met en valeur des terres de plus en plus étendues,
et cherche d'année en année à accroître des revenus qu'il
ne doit qu'à son travail, Verdi veut tirer le maximum de ses
œuvres passées, qui, pour lui, constituent un capital auquel
la chance a souri. C'est pourquoi, pour ne prendre que l'exemple de ces deux années 1844-1845, il consacre une partie
de son temps à la mise en valeur rationnelle de son répertoire.
Il va de théâtre en théâtre, afin d'assurer par sa présence le
succès de *Nabucco*, d'*Ernani* ou des *Lombardi*. Et, entre-temps,
il compose, sur des livrets quelquefois incohérents, les opéras
pour lesquels il a été engagé par les impresarii. Sans même
invoquer un ralentissement passager de son inspiration,
on peut fort bien comprendre qu'en ne consacrant que
trois ou quatre mois à la confection d'un opéra, il ne pouvait
y mettre le meilleur de lui-même, ni garantir une perfection
formelle pour laquelle le temps lui manquait. Sa fatigue
est naturelle, et plus tard, c'est lui-même qui donnera à
ces années harassantes le surnom d'*anni di galera*. Il en
gardera un souvenir d'autant plus désagréable que le public,
en boudant le plus souvent sa production d'alors, lui fait
comprendre sa désillusion. C'est sans doute pour compenser
la froideur de l'accueil qui est fait à ses œuvres nouvelles
qu'il a à cœur de soigner la reprise de ses premiers opéras,

qui appartiennent déjà au passé, et dont l'effet sur les foules est assuré. Car, — et là aussi il innove en la matière, — Verdi prendra toujours, et de plus en plus, un soin particulier de la présentation définitive de ses œuvres. Il ne pensera jamais que sa tâche s'arrête une fois tracée, sur la partition, la double barre terminale. Bien au contraire : amoureux du théâtre, en connaissant à fond les ressources, il entend toujours assurer lui-même, et jusque dans ses moindres détails, la mise en scène de ses œuvres. Son honnêteté devient tatillonne, sa probité presque maniaque, lorsqu'il règle les points les plus secondaires des représentations. Mais, au moins, a-t-il la satisfaction morale, quel que soit le résultat, d'en endosser entièrement la responsabilité ; et, pour lui, qui détestait les faux-fuyants ou les dérobades, c'était l'essentiel.

Nous passerons rapidement sur ces quatre œuvres assez peu heureuses ; nous ne retiendrons que certains détails. Entre autres, un fait qui nous touche spécialement en France : Verdi a déjà des rapports constants, et qui ne cesseront jamais, avec des sources d'inspiration française. On a vu qu'*Ernani* lui avait donné, après un *Cromwell* resté dans les limbes, l'occasion d'entrer en rapports intimes avec le poète français qui correspondait le mieux à son idéal romantique, Victor Hugo, qui d'ailleurs s'opposa toujours aux représentations d'*Ernani* en France, du moins sous l'affabulation originale, ce qui fait qu'*Ernani*, à Paris, devint *Il Proscritto* au Théâtre Italien, et que son action se déroula, non plus en Espagne, mais en Italie, avec des personnages totalement différents...

THÉATRE ITALIEN

Coup sur coup, la France et Verdi vont avoir deux autres points communs, avec *Giovanna d'Arco* et avec *Alzira*. Il est évidemment assez déplorable que le livret de Solera travestisse trop grossièrement le visage de notre héroïne nationale, que Schiller n'avait pourtant nullement défigurée, et que, pour ne prendre qu'un exemple, Jeanne d'Arc meure en pleine bataille au lieu de périr sur son bûcher... Mais Jeanne d'Arc appartient à notre histoire nationale ; les Italiens n'ont pas les mêmes raisons que nous de la vénérer, et elle n'était pas encore, et loin de là, canonisée en 1845 ; le théâtre, parlé ou lyrique, ne manque pas d'exemples où la vérité historique est mise sérieusement à mal. Nous devons bien plutôt rendre grâces à Verdi d'avoir contribué, par cette œuvre, à familiariser les Italiens avec un grand nom de notre histoire. Quant à *Alzira*, elle prouve que Verdi connaissait l'œuvre de Voltaire, et que, dans cette arme de guerre dirigée contre le fanatisme, il avait retrouvé l'écho de ce déisme qui, bien plus qu'un catholicisme trop intolérant, correspondait à ses propres sentiments. En outre, c'est à propos d'*Alzira* que, pour la première fois, nous avons un témoignage écrit sur une des exigences essentielles de Verdi en matière de livrets : la concision. En effet, dans une lettre adressée le 23 mai 1844 à son collaborateur Cammarano, il recommande à celui-ci, avant tout, d'être *bref*, et l'on sait que c'est là pour lui une condition primordiale.

Remarquons, en passant, que son goût littéraire n'est pas encore très sûr, puisque, au même moment, il couvre Cammarano de fleurs au sujet des vers d'*Alzira* : *Qu'ils sont beaux*, s'écrie-t-il... Et ce jugement n'est malheureusement pas confirmé par la postérité. Mais Verdi, à cette époque, songe avant tout aux qualités dramatiques d'un livret, et ne le loue qu'en considération des situations qu'il peut offrir ou des passions qu'il met en scène. Cette attitude, jointe à un manque de culture générale qui, avant 1850, n'est pas encore compensé par la curiosité, explique l'admiration presque puérile qu'il exprime devant des vers bien médiocres. Ce n'est que vingt ans après que son flair sera assez aiguisé pour séparer le bon grain de l'ivraie, et pour préférer Boïto à Cammarano ou à Piave.

Signalons enfin qu'avec *Attila* ses démêlés avec la censure reprennent, et que, si les autorités policières se contentent, en fin de compte, de petits changements de détail dans l'affabulation, le public vénitien, lui, ne se trompe pas sur les intentions des auteurs. Ses ennemis, d'ailleurs, lui reprocheront souvent d'utiliser abusivement la corde patriotique, et laisseront perfidement courir le bruit que le succès de certaines de ses œuvres n'est dû, comme pour *Attila*, qu'à cette sorte d'appel du pied, destiné à assurer à coup sûr la popularité de l'ouvrage. Il est certain que si, à l'époque de *Nabucco*, Verdi incarne presque sans le vouloir cet esprit de résistance à l'occupant étranger qui formait le fond même de la doctrine du Risorgimento, il est maintenant conscient de l'effet atteint, et que, sans aucune honte, il entend faire profiter ses œuvres de l'occasion qui s'offre de leur fournir, à coup sûr, une popularité d'excellent aloi. N'oublions point que Verdi est un paysan parvenu, qui doit son succès autant à son courage qu'à son talent, autant à son opiniâtreté qu'à son génie ; ce n'est pas lui qui, par négligence, laissera de côté un moyen licite de mettre en valeur sa production ; avant d'être appelée, ou non, chef-d'œuvre, une œuvre d'art doit être entourée, à sa naissance, des soins les plus attentifs, et profiter du maximum de chances possible dès son premier contact avec le public. Verdi, qui avait pour ce dernier le plus grand respect, savait que c'était le public qui avait le dernier mot, et que le temps restait le grand juge. Encore fallait-il donner à ce public — puis à la postérité — l'occasion de pouvoir émettre son jugement dans les meilleures conditions possibles ; aux yeux de Verdi, la fibre patriotique constituait une de ces conditions rêvées, et, en toute bonne foi, il l'utilisa au mieux de sa renommée.

Car Verdi ne cessera jamais d'être sincère. Nulle hypocrisie chez lui : lorsqu'il essaie de faire « rendre » le maximum à sa musique, c'est le terrien qui parle, qui sait la valeur de ce qu'il produit, et qui entend qu'elle soit reconnue. Comme Voltaire, comme Gœthe, comme Victor Hugo, Verdi, en même temps que créateur, sera un « exploitant » de premier ordre. Mais on ne soulignera jamais assez qu'il n'y a aucun hiatus entre le Verdi compositeur et le Verdi homme d'affaires ; c'est un seul et même homme qui veut servir au mieux à la fois les intérêts de sa musique et les siens propres ; et, pour lui, les uns et les autres sont indissolublement liés ; le *consensus omnium* est la seule preuve de la valeur d'un ouvrage, et, comme il l'écrivait : *Le théâtre (hier soir) était plein à craquer : seul et unique thermomètre du succès.*

Ajoutons au bilan assez pâle de ces quelques années la publi-
cation de six *Romanze da Camera*, qui reflètent déjà l'incompatibilité notoire qui sépare un homme de théâtre comme Verdi
d'un genre trop limité. On sent à chaque page que le compositeur est bridé, dans son inspiration, par le cadre de la mélodie,
et qu'il ne peut faire autrement que de le briser par moments,
— et l'on pourrait, sur Verdi, faire la remarque strictement
inverse de celle que lui-même faisait au sujet de son collègue
français Charles Gounod, dans deux lettres célèbres : ·

*Gounod est un très grand musicien, le premier compositeur
français, mais il n'a pas la fibre dramatique. Musique fort belle,
sympathique, détails magnifiques ; la parole est presque toujours parfaitement rendue... entendons-nous bien, la parole,
pas la situation ; les caractères sont mal déssinés... etc.*

Et, plus tard : *Gounod est un grand musicien, un grand
talent, qui réussit fort bien, et d'une manière originale, dans
la musique de chambre et la musique instrumentale, mais ce
n'est pas un artiste d'un tempérament dramatique.*

Verdi, au tempérament foncièrement dramatique, n'était
nullement porté à la musique de chambre. Plus tard, son
Quatuor viendra confirmer ce jugement...

Notons enfin la présence auprès de Verdi, à partir de ces
années parfois arides, d'un élève, — qui restera le seul — Emmanuele Muzio. Curieuses leçons, que celles où Verdi,
après avoir régulièrement rappelé à son jeune disciple qu'il
serait *inexorable*, le fait travailler d'arrache-pied pendant
un quart d'heure tout au plus — mais un quart d'heure
spécialement bien rempli —, et curieuses journées que celles
où l'élève, devenu en même temps commensal, confident,
secrétaire et partenaire du Maître, partageait ses repas, re-
cueillait ses boutades, écrivait pour lui à certains de ses
nombreux correspondants, et jouait avec lui aux cartes, au
billard ou aux boules...

Ces *années de travaux forcés* furent d'autant plus pénibles,
pour Verdi, que sa santé était fortement ébranlée, et que
de douloureux rhumatismes se joignaient à de continuels
maux d'estomac. Il faut ajouter à cela que la vie profes-
sionnelle est pour lui — qui, au fond, est et sera toujours
son propre « impresario » — une raison permanente de soucis.
Il doit sans cesse, afin de maintenir, comme on dit aujour-

d'hui, le « standing » de ses œuvres, être en pourparlers avec les directeurs des différents théâtres, et les tractations ne sont pas toujours faciles, le caractère entier, parfois cassant, de Verdi rendant souvent les discussions malaisées. C'est à cette époque que, pour la première fois, l'Opéra de Paris cherche à s'assurer la création d'une œuvre originale de Verdi ; on verra que ce projet n'aboutira que bien plus tard.

Pour l'instant, il est partagé entre deux livrets, l'un tiré de Schiller, *I Masnadieri* (« Les Brigands »), l'autre tiré de Shakespeare, *Macbeth*. Par le choix qu'il va faire, on se rendra compte de l'importance que des circonstances extra-musicales pouvaient avoir dans le déroulement d'une carrière comme la sienne. En effet, si Verdi s'attelle d'abord à *Macbeth* — le sujet des *Masnadieri* lui plaisant tout autant, — c'est avant tout parce que l'impresario qui devait monter l'ouvrage avait sous la main un excellent baryton, que le principal rôle de *Macbeth* lui irait fort bien, et que le ténor qui aurait créé le grand rôle des *Masnadieri* n'aurait pas été à la hauteur de sa tâche. Verdi prend donc contact avec Shakespeare. Ses carnets intimes révéleront plus tard qu'il avait caressé le projet d'écrire un « Roi Lear », une « Tempête », un « Hamlet » ; en fait, ce n'est qu'avec *Macbeth* que cette collaboration avec Shakespeare prend forme définitive. Là, le travail préparatoire de Verdi montre bien sa manière de procéder ; il écrit lui-même, en prose, un texte de départ, distribue comme il l'entend, dans le nombre d'actes et de scènes qui lui convient, les airs, duos, trios, ensembles qu'il désire. Puis il envoie ce « monstre » à son librettiste Piave afin que ce dernier mette le tout en vers.

Lorsque *Macbeth* voit pour la première fois les feux de la rampe, à Florence, le 14 mars 1847, l'œuvre a bénéficié des soins les plus minutieux. En particulier, Verdi, dans un voyage à Londres, s'est entouré de toutes les garanties sur le plan de l'exactitude historique des décors et des costumes ; il a fait lui-même répéter l'ouvrage, avec un étonnant souci du détail. La Barbieri-Nini, qui créa le rôle principal, affirma qu'un seul air fut répété plus de cent cinquante fois... *Macbeth*, malgré tant de précautions, n'eut pas l'accueil qu'aurait souhaité son auteur ; si les Florentins furent satisfaits, leur satisfaction n'alla pas jusqu'à l'enthousiasme, et Verdi en fut assez contrarié, car il était partagé entre deux sentiments qui resteront toujours solidement ancrés en lui : une grande sûreté de lui-même et un respect parfait pour

Couverture de « Macbeth », par Focosi,
pour la partition chant-piano.

le jugement du public. Or il juge, quant à lui, que *Macbeth* est sa meilleure œuvre, et le public ne semble pas l'approuver. Ce hiatus vient sans doute de ce que Verdi a été séduit par l'admirable pièce de Shakespeare, qu'il l'a toujours eue, pour lui, dans l'esprit en composant son œuvre mais que le public, lui, n'eut droit qu'à un bien médiocre livret, qui d'ailleurs ne pouvait que trahir la pensée du dramaturge anglais ; car il faut bien avouer que *Macbeth* se prêtait assez mal à une transposition dans le domaine lyrique. Enfin, Verdi s'était peut-être trompé en croyant qu'il serait aussi à l'aise dans le fantastique que dans la peinture des passions vraies ; en fait, le cœur n'y était pas. Et, quoi qu'il en eût, il dut, au moins inconsciemment, comprendre qu'il avait fait fausse route, puisqu'il ne choisira plus jamais de sujet entièrement fondé sur une atmosphère fantastique.

En juin 1847, Verdi débarque à Londres, où l'impresario Lumley lui a commandé pour son théâtre une œuvre nouvelle. C'est du Théâtre de la Reine qu'il s'agit, et non du

Covent-Garden ; car ce dernier est par tradition hostile aux œuvres contemporaines, alors que Lumley, devant la grandissante renommée de Verdi, s'est empressé de se faire son introducteur en Angleterre. La présence de Verdi à Londres va nous permettre de nous faire une idée de sa célébrité déjà grande. Il n'a en effet que trente-quatre ans, et l'on pourrait croire que son nom n'a guère dépassé les frontières de l'Italie. Il n'en est rien, car l'accueil que lui réservent Londres et la haute société anglaise nous montre avec quel empressement sa présence sera disputée. Sans aller jusqu'à la reine, qui demande à faire sa connaissance, les plus grands noms de l'aristocratie le comblent de prévenances, auxquelles d'ailleurs il ne répond que d'assez mauvaise grâce. Il est en effet curieux de constater que l'attitude de Verdi, vis-à-vis du « monde », est celle d'un homme d'une extrême timidité. Tantôt il se dérobera sans rien dire aux avances qu'on lui fera, tantôt il leur opposera une mauvaise humeur bourrue, tantôt il plongera tête baissée dans les sortilèges de la société, tout en comptant sur son bon sens naturel pour leur résister. Sa santé, parfois, est à l'origine de sa mauvaise humeur. La chronique nous rapporte que, pendant ce séjour londonien, il souffrait de la gorge et de l'estomac. Cependant, lorsque l'ambassadeur de Russie et quelques lords le prieront de revenir sur le refus qu'il avait exprimé quand on lui avait demandé de diriger la « première », il ne pourra faire autrement que de céder. Cette œuvre, ce sont les *Masnadieri* ; tiré par Maffei du drame de Schiller « Les Brigands », le livret n'a pas de vérité, pas d'accent sincère, et sonne faux d'un bout à l'autre. Malgré tout, le public londonien fait une ovation, le 22 juillet, à l'œuvre qui a le privilège, pour les Anglais, d'être la première œuvre écrite tout spécialement pour un théâtre londonien par un compositeur italien ; en effet, ni Rossini, ni Bellini, ni Donizetti n'avaient rien donné d'inédit aux scènes anglaises. Que l'accueil du public ait été enthousiaste, que son fidèle élève Muzio ait vu dans les *Masnadieri* le chef-d'œuvre de son maître, que les critiques, dans l'ensemble, aient été très favorables, tout cela ne trouble en rien la sérénité du jugement de Verdi, qui se rend parfaitement compte que ce dernier opéra ne fait nullement avancer sa gloire ni son style, et qui conclut : *L'opéra a bien marché ; sans faire fureur, il a eu un succès qui m'a permis de ramasser quelques milliers de francs...*

De la Madeleine à la rue Caumartin

En tout cas, son séjour à Londres a assis sa renommée d'une manière encore plus solide. Le Covent-Garden lui-même, sentant que le vent tournait, a monté les *Foscari* avec un immense succès. Et Verdi, après avoir dirigé les deux premières représentations des *Masnadieri* part pour Paris.

Paris, pendant quelque temps, va être le centre des activités de notre compositeur. Et pourtant, que de flèches n'a-t-il point décochées, toute sa vie, contre une ville dont la frivolité correspondait assez mal à son sérieux tout terrien ! Que d'ironie n'a-t-il point dépensé à l'endroit de l'Opéra de Paris — *la grande boutique* — dont il déplorait la décadence irrémédiable ! Mais, à Paris, il trouvait, au milieu d'une foule étrangère et anonyme, la solitude que lui refusait, en Italie, sa gloire. Et puis, et surtout, à Paris habitait la Strepponi, dont nous avons déjà parlé. Les séjours parisiens de Verdi deviendront de plus en plus fréquents, de plus en plus

De l'Opéra à la rue Taitbout

longs. Son attachement pour la Streppóni va devenir un amour très sûr, très profond, et bientôt ils ne se quitteront plus.

Peu importe, d'ailleurs, que pour l'Opéra de Paris Verdi ait accepté de remanier les *Lombardi* et d'en faire une *Jérusalem*, accueillie plutôt froidement le 26 novembre 1847. Peu importe également que, pour satisfaire à un contrat déjà vieux signé avec l'éditeur Lucca, il ait écrit l'un de ses opéras les moins intéressants, *Il Corsaro*, dont, d'ailleurs, il ne s'occupa même pas. Ce qui compte pour nous, avec la place de plus en plus grande prise dans sa vie par Giuseppina Strepponi, c'est l'incidence que vont avoir de nouveau, sur sa carrière de compositeur, les événements politiques qui, après la révolution parisienne de février 1848, vont bouleverser l'Europe en général et l'Italie en particulier. Ces deux années, 1848-1849, nous montrent un Verdi doublement occupé à traiter

TEATRO CARCANO

RECENTEMENTE RESTAURATO ED ILLUMINATO COL GAZ DI TORBA.

I Conduttori di questo Teatro hanno l'onore di prevenire il Pubblico che misero a disposizione il Teatro stesso onde darvi un breve corso di **12 Rappresentazioni con Opere in Musica**, a vantaggio dei Militi dell'Armata Alleata stati feriti.

A tutto benefìcio dei suddetti feriti la nazionale Compagnia Anonima Lombardo-Veneta illuminerà il **Teatro col gaz di torba.**

Gli Artisti tutti, i **Coristi**, i **Professori** d'orchestra, l'Editore di musica, i Fornitori di vestiarj ed **attrezzi, ecc.** concorsero all'opera benemerita, avendo limitato a tenuissimo compenso la retribuzione delle singole prestazioni.

L'andamento **amministrativo** del breve corso di Rappresentazioni suennunciato verrà sorvegliato dal **Comitato Centrale Ospitaliero dei Militi feriti** a ciò delegato dal R. Governo. La Carità Cittadina che già diede sì splendide e continue prove della propria operosità, non mancherà di certo anche a questo appello il cui scopo è quello di sempre più alleviare la posizione di coloro che col proprio sangue concorsero alla gloriosa opera della nostra liberazione.

In detto corso di Recite si daranno due Opere, la *prima* delle quali **Nuova per Milano**, col titolo:

LA BATTAGLIA DI LEGNANO

del Maestro Giuseppe Verdi Ufficiale della Legion d'Onore.

PERSONAGGI

Federico Barbarossa	*De-Bayllou Gaetano*	Arrigo	*Barbaccini Enrico*
Primo Console . .	*N. N.*	Marcovaldo, prigio-	
Secondo Console	*Baroni Luigi*	niero allemano .	*Bernasconi Giuseppe*
Il Podestà di Como	*Lodetti Francesco*	Un Araldo . . .	*Mariani Carlo*
Rolando	*Marra Giuseppe*	Imelda, ancella di	
Lida, sua moglie .	*Jackson Amalia*	Lida	*Repossi Francesca*

SECOND'OPERA:

LE PRIGIONI DI EDIMBURGO

del Maestro Federico Ricci.

Nella quale agiranno le sorelle *Enrichetta* e *Regina De-Bayllou.*

Maestro Concertatore *Rapeto Pietro.* — **Direttore d'Orchestra** *Cremaschi Antonio.*

Maestro dei Cori *Bassi Achille.* — Suggeritore *Radice Pietro.*

Pittore *Gandaglia Lucca.* — Macchinista *Spinelli Giuseppe.* — Parrucchiere *Nobile Angelo.*
N. 40 Coristi d'ambo i sessi. — Orchestra 45 parti.

Abbonamento per le suddette 12 Recite (compreso il Libretto della prim'Opera) ital. lir. 6.
Idem ad una Sedia fissa lir. 6.

Palchi per dette 12 Recite: I. Fila ital. lir. 18. - II. lir. 24. - III. lir. 15. - IV. lir. 10.

NB. *Salvo una sera*, avendo preso anticipato impegno colla Direzione della **BANDA CIVICA** per un **privato Concerto.**

Viglietto Serale d'ingresso ital. lir. 1. - Per la prima sera lir. 1. 50. - Sedia fissa lir. 1.
Palchi serali: I. Fila lir. 5. - II. lir. 6. - III. lir. 4. - IV. lir. 3.

Il Camerino dell'Impresa è aperto dalle ore 9 antimeridiane alle 3 pomeridiane, e dalle 8 alle 10 sera per ricevere inscrizioni d'abbonamenti ed affitto palchi a stagione.
Con apposito manifesto verrà indicato il giorno della Prima Rappresentazione.

Milano, 11. Luglio 1859.   I Conduttori CASATI e SIMONI.

Couverture pour « Le Réveil de l'Italie, chant patriotique ».

ses affaires avec les impresarii et les directeurs — et à s'enflammer, entre deux tractations, pour la cause de la liberté. Lui, dont la popularité avait dû son premier élan à des poussées politiques, au temps de *Nabucco*, va retrouver cette même popularité encore multipliée : son premier ouvrage après le *Corsaro* va être la *Battaglia di Legnano*, en souvenir de la première victoire remportée, au temps de la Ligue Lombarde, par les Italiens sur un empereur allemand. Il va l'écrire pendant que les patriotes romains s'insurgeront contre le pouvoir du pape ; et la chance voudra que la première représentation de cette *Battaglia di Legnano* ait lieu le 27 janvier 1849, c'est-à-dire douze jours avant la proclamation de cette république romaine qui, installée par quelques hommes étonnants, Mazzini, Mameli, devait tomber peu après, à la suite de l'intervention des troupes françaises venues à la rescousse des armées papales. Il est évident que, dans ces circonstances, les qualités indéniables de l'œuvre prenaient des prestiges considérables, et que le triomphe qui la salua devait un peu de son débordement à la conjoncture historique.

Entre parenthèses, retenons que, au milieu des révolutions, des renversements de trônes et d'empires, au moment même où le siège de Saint-Pierre tremble sur ses bases, Rome se passionne pour une création lyrique — et que, malgré les événements plutôt bouleversants de ces mois d'émeutes et de sang versé, Verdi, qui habite Paris, fait avec désinvolture la navette entre Paris, Rome et Naples sans se soucier du danger... D'ailleurs, mêlé de près, par sa renommée personnelle, aux mouvements de libération, il a signé, en 1848, de Paris, une adresse au gouvernement français de Cavaignac, destinée à émouvoir ce dernier et à l'amener à combattre l'Autriche aux côtés des Italiens insurgés. On sait combien l'Italie entière fut déçue de l'attitude de la France, qui, volant au secours de Pie IX, fit s'écrouler pour quelques années le beau rêve d'unité et d'indépendance.

Enfin, et cela suffirait à prouver combien les guerres, en ce temps-là, étaient différentes de celles que nous connaissons, c'est au beau milieu des insurrections de 1848-1849 que Verdi, poussé par Giuseppina Strepponi, songe à faire un retour à la terre natale. Depuis des années, il erre de ville en ville, de Rome à Naples, de Milan à Paris ; à Paris, sans doute, il retrouve cette indépendance dans l'anonymat qu'il a perdue dans son pays, mais la vie mondaine

Victor-Emmanuel II et Radetzky, le 24 mars 1849.
Victor-Emmanuel II prête serment à la Chambre, le 29 mars 1849.

n'est pas faite pour ce paysan, qui ne s'y laisse prendre parfois que pour la mépriser plus profondément par la suite. Il a donc décidé d'acheter, auprès de Busseto, un terrain sur lequel il aura enfin la maison stable à laquelle il aspire. C'est ainsi qu'il acquiert, sur la commune de Villanova d'Arda, à quelques kilomètres au nord de Busseto, la propriété de Sant'Agata, qui sera le refuge rêvé.

Dès lors, ce gentilhomme campagnard qu'est Verdi va poursuivre, parallèlement, deux buts simultanés et singulièrement semblables malgré l'apparence. Il va conduire sa carrière de compositeur exactement de la même manière qu'il mènera ses affaires terriennes. Peu à peu, il va étendre ses propriétés, acquérir des terrains, faire construire des fermes, assainir des terres, gagner sur la nature par une longue patience. En même temps, son métier de compositeur, en se précisant, en s'enrichissant, va faire d'année en année de nouvelles conquêtes, découvrir de nouveaux horizons, annexer de nouvelles possibilités. Le paysan parvenu va jouer gagnant sur les deux tableaux, celui de l'art et celui de la terre.

Notons au passage que c'est à cette époque que l'éditeur Ricordi, dont le succès est un des grands faits de l'histoire musicale de l'Italie au XIXe siècle, devient l'éditeur unique des œuvres de Verdi, dont il a su s'assurer la complète exclusivité, et auquel l'uniront des liens d'affection très fidèles.

Le commun des mortels ne prend conscience de l'évolution des événements que bien des années après leur nouvelle orientation. Il faut croire que les hommes de génie participent de plus près à la vie même de l'histoire, puisque certains d'entre eux « sentent », pour ainsi dire, les changements d'aiguillage au moment même où ces derniers ont lieu.

En 1849, les convulsions politiques et populaires à peine apaisées, Verdi, déjà, flairait l'arrivée de temps nouveaux. La *Battaglia di Legnano* est tout imprégnée de l'esprit de la révolution ; le prochain opéra de Verdi, *Luisa Miller*, ne doit plus rien aux conjonctures présentes, et son élabora-

tion elle-même est tellement différente de celle des œuvres précédentes qu'on a voulu voir dans cette œuvre l'aube d'une « deuxième manière » chez Verdi. Il n'y a rien de plus dangereux que de diviser arbitrairement la production d'un créateur en plusieurs époques, surtout lorsque quelques mois de sa vie séparent deux de ces périodes. Et il est évident que les dix mois qui s'écoulent entre la *Battaglia di Legnano*, à Rome, et *Luisa Miller*, à Naples, ne suffisent point à marquer un tournant complet dans l'évolution du compositeur. Cependant, *Luisa Miller* diffère assez notablement des œuvres qui l'ont précédée pour qu'on ait pu en faire le départ d'une nouvelle série. Le sujet, d'abord, qui est tiré, par Cammarano, du « Kabbale und Liebe » de Schiller, et qui introduit dans l'œuvre du fougueux et révolutionnaire Verdi un élément de calme idyllique et serein qui contraste singulièrement avec les fureurs des sujets jusque-là traités par lui. Tout se passe comme si, faisant corps avec son époque, Verdi en avait épousé les avatars au point de calquer sa propre évolution sur cette époque. Et, de fait, on sait qu'aux bouleversements des années 1848 succède une période de calme d'autant plus remarquable qu'elle faisait suite à une véritable éruption volcanique. Immédiatement, Verdi accorda son pas à celui de son temps. A la·musique âpre, haletante des opéras « révolutionnaires » fit suite une musique plus tranquille, plus posée, — plus soignée aussi. Et c'est sans doute dans ce soin nouveau accordé à ses œuvres qu'on a pu voir la marque d'une seconde manière chez notre compositeur.

Le sujet de la *Luisa Miller* n'avait d'ailleurs pas été trouvé du premier coup. Et les cahiers d'esquisses pieusement conservés à Sant'Agata conservent la trace des recherches effectuées par le « maestro » en vue de trouver un sujet convenable. Après avoir vainement tenté de faire accepter par la censure napolitaine le sujet du « Siège de Florence », Verdi se tourna vers Schiller et sa « Cabale et amour ». Mais, au même moment, on constate combien l'atmosphère générale peut influencer le cours de ses recherches, puisque c'est de cette année 1849 que datent ses nouvelles tentatives de se remettre à l'opéra-bouffe, genre qui, on s'en souvient, lui avait mal réussi avec le *Finto Stanislao*, au début de sa carrière. C'est en particulier à cette époque qu'il commence à s'intéresser au personnage de *Falstaff*, mis en scène par Shakespeare dans les « Joyeuses commères de Windsor » et dans les deux « Henri ». Le « pancione » fait ainsi son entrée dans la vie de Verdi. On sait qu'il n'en sortira plus jamais, et que Verdi attendra d'avoir un vrai livret pour réaliser, enfin — et à la fin de son existence — le véritable opéra-bouffe dont il rêvait [1].

Enfin, dès 1849, il répartit, entre deux librettistes, Cammarano et Piave, la tâche d'écrire quatre livrets. Cammarano, le napolitain, aura à écrire ceux de *Luisa Miller* et du *Trouvère*; Piave écrira *Stiffelio* et *Rigoletto*. On voit que, dès la paix revenue, Verdi, en bon ouvrier, se mettait activement à l'œuvre...

Mais, pour l'instant, il s'agit d'écrire l'opéra que Verdi s'est engagé à donner au San Carlo de Naples en 1849. Cette *Luisa Miller* verra le jour le 8 décembre 1849, sur ce théâtre, mais après mille aventures plus ou moins héroï-comiques comme il n'en peut arriver qu'à Naples ; Verdi en effet eut bien des difficultés financières avec l'impresario, avec les autorités policières du royaume des Deux-Siciles — et même avec un véritable « jettatore », un de ces hommes qui possèdent, malgré eux, le « mauvais œil » et qui, pour être admirateur fervent de Verdi, n'en fut pas moins tenu comme directement responsable des difficultés rencontrées par *Luisa Miller*, ainsi que du demi-succès qu'elle remporta.

Et pourtant, sans vouloir faire de cette œuvre le point de départ d'une « période » de la vie de Verdi, on peut y trouver les éléments de progrès qui, dans la production de tout artiste, permettent son évolution. On a vu que le sourire, avec les premières et lointaines esquisses de *Falstaff*, fait son entrée dans l'œuvre de Verdi, et qu'il y conservera une place, plus ou moins grande, jusqu'à la fin. Au même moment, la sérénité amoureuse de *Luisa Miller*, sa tranquillité idyllique changent des transports violents auxquels nous avait accoutumés le jeune maître. De plus, on remarque, dans cet ouvrage, une union beaucoup plus étroite qu'auparavant entre le mot et la note, entre le poème et la musique. Cette parfaite adhésion de la musique au texte était jusque-là le propre des œuvres gaies, où apparaissait tout naturellement la vivacité du peuple italien. Ce fut le mérite de Verdi de transporter cette union très étroite dans le champ de la musique « sérieuse ». Par là même, il rendra au texte une place plus importante.

Enfin, du point de vue strictement musical, *Luisa Miller*

---

1. C'est en mars 1849, à Berlin, que Nicolaï fait représenter ses *Joyeuses commères de Windsor* : Verdi, qui se tenait très au courant de l'actualité musicale, ne fut pas sans apprendre l'événement.

marque un énorme pas en avant dans l'œuvre de Verdi. Au lieu de n'être composée, comme les œuvres précédentes, que de morceaux séparés plus ou moins artificiellement réunis, elle contient en germe le principe du drame musical à discours continu, tel que sera conçu *Otello*. En effet, plus aucune trace du « recitativo secco », qui creusait des abîmes entre les airs et les ensembles. Le récitatif est uniquement mélodique, et le souffle de passion qui anime les morceaux eux-mêmes circule de l'un à l'autre à travers le récitatif, sans rien perdre de sa vigueur ni de sa richesse. C'est là que réside sans aucun doute la nouveauté de la *Luisa Miller*. Jusque-là, le public, hissé sur des sommets souvent merveilleux au moment des « airs », retombait lourdement, prosaïquement à terre, lors des récitatifs, où — pour ne rien arranger — le texte, souvent indigent, apparaissait dans sa triste nudité. La tâche du compositeur était d'ailleurs d'autant plus difficile, puisqu'il devait, après ces chutes soudaines, gravir à nouveau la pente au moment de l' « air » ou de l'ensemble suivants. Le déroulement de l'opéra suivait dès lors une courbe fâcheusement sinusoïdale, avec des alternances répétées de tension sublime et de pauvre relâchement, qui n'était guère favorable à l'unité générale de l'œuvre. On peut même dire que, dans l' « opera seria », cette unité ne pouvait, jusque-là, réellement exister, et que l'auteur ne parvenait à en donner l'illusion qu'en accumulant le plus possible les morceaux — au détriment d'un récitatif qui, inévitablement, rompait le charme. Désormais, le récitatif mélodique, ne serait-ce que dans la part plus grande qu'il accorde à l'instrumentation, empêchera la tension dramatique de retomber. Il sera le prolongement tout naturel d'un « air », que, par ses inflexions, il continuera — et unira à l' « air », ou à l'ensemble, suivant. Il n'est point encore question de supprimer la distinction entre « morceaux » et « récitatif ». D'ailleurs, jamais, même dans *Falstaff*, même dans *Otello* — même dans « Pelléas » — cette barrière ne sera entièrement abolie ; il y aura toujours des moments de plus haute tension dramatique ou passionnelle, où fleurira un « air », qui s'élèvera de lui-même, et comme inconsciemment, au-dessus du contexte. Ce qu'il fallait conquérir — et c'est là l'apport inappréciable de *Luisa Miller* — c'était une plus grande unité dans l'ensemble de l'œuvre : pour cela, Verdi a compris, dès 1849, que les airs et les récitatifs, jadis, hier encore, si diamétralement opposés, devaient être de la même pâte sonore, de la même épaisseur musicale, si l'on peut dire, et que les uns ne devaient se distinguer des autres que par une tension lyrique plus ou moins grande.

En même temps, la paix revenue semble lui avoir apporté le loisir de soigner son orchestration. Jusque-là, en effet, on sentait trop, dans la fosse d'orchestre, la présence du jeune maître de chapelle de Busseto, qui avait « fait ses classes » avec l'harmonie locale et qui en conservait une attirance toute naturelle pour des « flonflons » un peu élémentaires. Ce qui pouvait convenir, en pleine activité révolutionnaire, à des œuvres nées d'un patriotisme incandescent ne suffisait plus à une maturité plus exigante. Verdi, qui, dans ses œuvres précédentes, soignait avant tout le chant et les voix, va accorder désormais toute son attention à l'orchestre. Et on ne peut point ne pas voir, dans cette soudaine vigilance, le souci qu'a notre compositeur de suivre l'exemple de Meyerbeer, qui, le premier, avait songé à « faire parler » l'orchestre, — et dont les jeunes lauriers, vingt-cinq ans auparavant, avaient sans doute acculé Rossini au silence.

Enfin, le livret lui-même de *Luisa Miller*, malgré ses imperfections, offre un nouveau type dramatique, qui correspond à la véritable personnalité de Verdi — et qui, en tout cas, va permettre à ce qui sera sa personnalité de se découvrir pleinement. Car il y a deux Verdi. Il y a le Verdi que je qualifierai d'anecdotique, celui qui prend prétexte des événements historiques du passé pour s'enthousiasmer sur les événements actuels, celui qui, derrière les Hébreux exilés, sait faire reconnaître le peuple italien dans les chaînes, et qui manie aussi bien les sentiments héroïques — donc exceptionnels — que les mouvements de foule. Mais il y a aussi, à côté de ce Verdi que commande la conjoncture, celui qui travaille dans l'universel, celui qui connaît les passions humaines dans ce qu'elles ont d'éternel, bref, un Verdi auquel rien de ce qui est humain n'est étranger, et qui ne peut se limiter à des peintures héroïques d'actions extraordinaires. Ce Verdi-là, qui est le vrai Verdi au moins autant que l'autre, et qui le sera, en tout cas, de plus en plus, n'avait point encore eu l'occasion de se révéler, ni à lui-même, ni au public. Les sujets qu'il s'était plu à traiter, et que l'occasion politique lui commandait, étaient trop remplis de circonstances étranges, héroïques ou rares pour lui permettre de se présenter en peintre de l'âme humaine. *Luisa Miller* va ouvrir la voie à ces drames plus profonds, qui donneront au public des raisons moins anecdotiques d'aimer Verdi.

" Si j'étais un amateur "

ntre *Luisa Miller* et *Rigoletto*, se place un ouvrage sur lequel nous n'avons point à nous étendre, puisque. aussi bien Verdi lui-même, après l'échec de la première à Trieste, le 16 novembre 1850, en interdit l'exécution à la Scala, ce qui montre quel peu de cas il en faisait. Il s'agit de *Stiffelio*, qui met en scène un pasteur protestant trompé par sa femme, et qui, à la fin de l'ouvrage, possède assez de courage et de charité chrétienne pour lui pardonner. Toute la pièce est construite pour arriver à cette fin ; malheureusement, elle fourmille d'invraisemblances manifestes, et il est évident que Verdi ne soigna point sa composition comme il l'avait fait pour la *Luisa Miller*. Le résultat, ce fut l'échec à peu près complet de la pièce à Trieste, après quoi Verdi se désintéressa de son destin.

Ce qui est beaucoup plus important, c'est de noter combien de projets, au moment même où il bâcle *Stiffelio*, l'assaillent, et l'intéressent. Avant tout, il rêve de mettre en musique, à nouveau, un drame de Shakespeare. Il s'agit cette fois du « Roi Lear », qui l'a séduit depuis longtemps, et dont il ne viendra jamais à bout. Et, pourtant, pendant des années, sa correspondance sera remplie d'allusions à ce projet, pour lequel il ne parviendra point à se faire faire un livret convenable, et au sujet duquel son librettiste Cammarano recevra maintes recommandations qui nous prouvent que jamais il ne perdra entièrement l'espoir. D'ailleurs, après *Falstaff*, c'est-à-dire dans les toutes dernières années de sa vie, sa correspondance avec Boïto nous montre que ce dernier avait, à son tour, tenté de faire un livret acceptable de ce « Roi Lear », dont l'idée aura poursuivi Verdi tout au long de sa carrière.

A l'époque même du malheureux *Stiffelio*, un autre sujet shakespearien semble le tenter ; c'est « Hamlet ». Il est probable que, d'une part, l'énormité même d'un tel argument finit par l'en écarter — et que, d'autre part, le fait qu'Ambroise Thomas ait déjà mis ce sujet en musique l'ait amené à abandonner ce projet.

Mais, en même temps, il a déjà mis en train d'autres œuvres qui, elles, parviendront à leur expression définitive. D'ailleurs, et sans que cela enlève rien aux mérites des opéras qui suivront, il est certain que cette période de sa vie est la plus étonnante et la plus riche. Il mène de front, ou presque, trois opéras d'une importance égale, et qui, par leur perfection, resteront sans doute les plus populaires de tous ceux qui seront sortis de sa plume. Il s'agit de ce qu'on s'est amusé à appeler sa « Trilogie » : *Rigoletto*, le *Trouvère* et la *Traviata*. La France est à l'honneur, puisque deux de ces trois livrets sont inspirés de pièces françaises.

Les excès mêmes du romantisme littéraire ont probablement servi à Verdi, qui n'aura retenu de la leçon romantique que ce qui pouvait s'accorder avec sa propre personnalité, dont le fond, ne l'oublions pas, était avant tout « terre-à-terre ». C'est ce qui saute aux yeux dès le premier ouvrage de la « Trilogie ».

Il s'agit de *Rigoletto*, c'est-à-dire de la version musicale du « Roi s'amuse » de Victor Hugo. Il serait amusant de tracer un portrait parallèle de ces deux géants, presque contemporains, mais que tout opposait l'un à l'autre, bien plus que l'on

Dessin de Victor Hugo pour le « Roi s'amuse

LE DERNIER BOUFFON
SONGEANT
AU DERNIER ROI

ne pourrait le croire. En effet, on a trop souvent écrit que le romantisme de Hugo avait trouvé dans celui de Verdi son écho musical idéal, et que leurs deux tempéraments, par un finalisme trop commode, avaient été pour ainsi dire créés pour s'accorder. Rien n'est plus faux, et je voudrais essayer, sans que cela ôte rien de leurs gloires respectives, de montrer comment l'un et l'autre ne pouvaient que s'opposer. Hugo n'est pas un paysan, loin de là. Non seulement ses origines le démentent, mais tout, dans son comportement, tendra à en faire un aristocrate. Et on peut même avancer que son attitude politique, à partir du moment où le pair de France flirte avec la République, revêt un aspect de paternalisme littéraire qui n'a rien à voir avec le peuple lui-même, et qui en impose à ce dernier dans la mesure où il lui est par essence étranger. Victor Hugo, ce sont « Les Misérables » vus d'en haut, d'au-dessus. De plus, Hugo a contribué à créer le romantisme, le vrai, dès la première vague. Il en a épousé les exigences profondes parce qu'il les sentait intimement, et ses excès eux-mêmes naissent chez lui d'une nécessité qui est autant littéraire que sentimentale. Car Hugo est terriblement cultivé. Il sait tout à vingt ans, il a tout lu, et c'est en connaissance de cause que, dans la préface de « Cromwell », il met

Le François Ier du « Roi s'amuse ».

le feu aux poudres.

Chez Verdi, tout sera beaucoup plus élémentaire. D'abord parce qu'il s'agit d'un vrai paysan, pour lequel les élucubrations hugoliennes en politique ne peuvent être que des rêveries dangereuses. Verdi n'est pas cultivé. Son romantisme à lui n'est que dans une sincérité profonde devant la passion, devant le drame, devant l'homme et devant la vie. Ce romantisme ne doit rien à la littérature, rien à une culture que Verdi ne possède point. C'est un romantisme « primaire », au bon sens de ce terme, c'est-à-dire qu'il n'existe qu'en tant que composante initiale de la personnalité de Verdi — et non point en tant que résultante concertée, comme chez Hugo. De ce dernier à Verdi, en vingt ans ou à peu près, le romantisme s'est décanté, a perdu tout ce qui n'était qu'anecdotique, et atteint à cette sorte de classicisme paradoxal de pur jeu des passions. Verdi l'autodidacte a épuré le romantisme qu'encombraient trop de considérations littéraires. Et alors que la courbe du théâtre hugolien s'est brisée nct aux « Burgraves », celle du théâtre de Verdi, qui ne s'appuie que sur ce qui est humain, va se poursuivre jusqu'à sa mort sans une seule défaillance. La chance de Verdi aura été ce décalage permanent, que l'on retrouve toujours

Le duc de Mantoue, de « Rigoletto ».

RIGOLETTO

MELODRAMMA DI F.M. PIAVE MUSICA DEL MAESTRO

G. VERDI

ANTONIO VASSELL

in pegno di gratissimo cuore questa edizione consacra

GIOVANNI RICORDI

MILANO

I. R. Stabilimento Naz.l Privilegt

GIOVANNI RICORDI

LE ROI S'AMUSE

JOHANNOT — ANDREW·L·BEST·

PUBLIÉ PAR EUGÈNE RENDUEL.

M DCCC XXXII.

entre littérateurs et musiciens, et qui permet à ces derniers de ne jamais « essuyer les plâtres »...

Rigoletto est certainement l'une des œuvres les plus célèbres de son auteur, et en tout cas, chronologiquement, celle dont le succès correspond le mieux à une perfection intrinsèque. Mais que d'aventures avant que le théâtre de la Fenice, à Venise, n'en donnât la primeur à son public ! Jamais encore, malgré la hardiesse à peine voilée de certains sujets, Verdi n'avait rencontré de semblables difficultés auprès de la censure autrichienne. Il faut dire que, pour un gouvernement un peu susceptible comme l'était le gouvernement de la double-monarchie, le fait de mettre en scène un roi de France libertin et coureur de filles n'était pas spécialement heureux. Il était donc inévitable que, dès l'abord, le futur *Rigoletto*, premièrement intitulé « La Malédiction », fût en butte aux tracasseries de la censure. Le caractère léger et libertin du roi de France François Ier servait de point de départ à toute l'affabulation de la pièce. En effet, qu'il s'agisse des craintes justifiées de Triboulet, bouffon du roi, ou de la passion de sa fille Blanche, amoureuse de celui dont elle ignore qu'il est le roi, toutes les passions, dans « Le Roi s'amuse », découlent du caractère de François Ier. Céder aux injonctions de la censure, et par conséquent changer totalement la physionomie de ce personnage équivalait, pour Verdi, à un renoncement total. Il est normal qu'il ait cherché une solution qui, tout en apaisant les craintes administratives, conservât à son ouvrage tous ses caractères principaux. D'autant que cet opéra — sans avoir été écrit et orchestré en quarante jours, comme le veut la légende — avait jailli d'un seul jet, et que Verdi, qui avait longuement laissé mûrir le sujet avant de se mettre à composer, n'avait plus eu qu'à tout écrire d'une seule traite, ou à peu près, ce qui donnait à l'œuvre cette extraordinaire unité qui est l'une de ses plus rares caractéristiques. Verdi va donc s'accrocher désespérément à tout ce qui fait le noyau même de son opéra, c'est-à-dire à cette fameuse « Malédiction », à la fois malédiction de Triboulet contre un roi libertin qui a séduit sa fille, — et malédiction subie par ce même Triboulet, dont les malheurs nourrissent toute l'intrigue. Toutes les tractations, souvent héroï-comiques, qui précèdent la mise en répétition définitive de *Rigoletto* n'ont d'autre but que de sauver l'essentiel du drame. Si Verdi y parvient enfin, c'est après un échange interminable de lettres entre Busseto, où il s'est réfugié pour avoir le calme, et Venise, où un bienheureux hasard voulut que, non seulement la direction de la Fenice, mais les censeurs eux-mêmes lui fussent favorables, en dehors de leurs obligations professionnelles. C'est ainsi que, grâce à Carlo Martello, directeur général de l'Ordre Public à Venise, et censeur suprême, on arriva à un « modus vivendi » qui, tout en satisfaisant les exigences autrichiennes, sauvegardait les droits les plus stricts de Verdi. François Ier perdit de son prestige dangereusement royal, pour devenir le duc de Mantoue (après avoir été duc de Vendôme...) dont l'infime autorité ne risquait point de mener à des comparaisons désagréables pour la Maison d'Autriche. Blanche devint Gilda, ne perdant, elle, rien de sa candeur passionnée. Quant au bouffon, c'est lui qui porta, dans le titre, toute la responsabilité du drame. Du nom authentiquement historique de « Triboulet » ou « Triboletto », on passa à *Rigoletto*, curieusement dérivé d'un adjectif français assez peu distingué, mais qui fait nettement image... Janvier et février devaient être nécessaires pour parvenir à un accord : la censure une fois apaisée, les répétitions démarrèrent dans l'enthousiasme, et, le 11 mars 1851, c'était le triomphe définitif de *Rigoletto* qui avait, pour la circonstance, bénéficié d'une distribution éblouissante, avec la Bambilla, Mirate et Varese. Rigoletto partait pour une longue et brillante carrière, qui lui fit rapidement faire le tour de l'Europe. Mais ce départ fulgurant eut un caractère assez paradoxal. En effet, cette œuvre marque chez Verdi le départ — un départ encore plus marqué que dans la *Luisa Miller* — d'une série d'opéras où la musique se plie à une variété complète de sentiments, à la joie comme à la douleur, aux larmes comme au rire. C'est en cela que Verdi est romantique, en ce sens qu'il obéit exactement aux préceptes édictés par Victor Hugo lui-même plus de vingt ans auparavant, et par lesquels le théâtre romantique se devait d'accepter — et même de rechercher — le mélange des genres, restant par là même plus près de la vie que la tragédie classique. Les morceaux lyriques, en même temps, tirent, au même titre que les récitatifs, leur substance de la matière dramatique même de l'ouvrage. De là l'unité, de là un mouvement qui ne ralentit jamais. Verdi, conscient comme tout bon ouvrier de la valeur de ce qu'il avait créé, constata que *Rigoletto* était le meilleur livret qu'il ait eu jusque-là entre les mains. Le public, malgré la nouveauté d'un ouvrage où, contrairement à ce qu'il avait accoutumé d'entendre, la musique était en quelque sorte continue, adopta immédiatement cette nouvelle formule, et le montra par un enthousiasme qui ne se démentit jamais. Mais la critique, qui pourtant se devrait d'éclairer le public, et de l'amener à la compréhension d'œuvres inaccoutumées, resta, en la circonstance, en arrière de ce même public. Elle fut déroutée, semble-t-il, par un langage qui ne laissait plus la même place prépondérante, orgueilleuse, à la voix. C'est surtout à Londres et à Paris que la critique fut le plus acerbe. C'est à Paris que la « Gazette musicale » du 30 mars 1851, rendant compte de la première à la Fenice, accusait déjà, et pour la première fois, Verdi de « chercher à modeler son harmonie sur les grands maîtres de l'école allemande ». Et la plupart des critiques le renvoient à l'école de Rossini et de Bellini...

Quant à Victor Hugo, il n'avait pu empêcher *Rigoletto* d'être créé, puis joué en Italie et dans les autres pays européens. Mais son intransigeance — et son dédain profond de la musique — le poussèrent à interdire que l'ouvrage fût monté en France. Il fallut un procès, auprès du Tribunal de la Seine, pour que, six ans après Venise, *Rigoletto* pût être créé enfin dans ce qui était sa patrie d'origine. Cent représentations en un an en marquèrent le retentissant succès. Mais il fallut encore attendre des années pour que Victor Hugo consentît à assister à une représentation de *Rigoletto* — et à constater que l'ouvrage était loin de nuire à sa propre gloire...

Pendant deux ans, Verdi ne va rien donner d'inédit sur les scènes italiennes. Ces deux années vont être des années de travail intensif, ainsi que de tractations sans nombre avec les impresarii et les directeurs de théâtres. Débarrassé de *Rigoletto*, en effet, Verdi va maintenant mener exactement de front la composition de ses deux opéras suivants, le *Trouvère* et la *Traviata*. Tous deux vont avancer de pair, avec régularité, comme deux œuvres jumelles. Il semble que la composition de l'un ait reposé, ou changé, Verdi de la composition de l'autre. Jusqu'à la fin de 1852, il ne saura pas d'ailleurs quel sera, de ces deux opéras, celui qui sera créé le premier. En effet, tout dépend de la distribution que les

théâtres avec lesquels il est en pourparlers pourront lui pro-
poser. Pendant presque vingt mois, il passera d'un théâtre
à l'autre, de Bologne à Florence, de Naples à Milan, et, en
fin de compte, il se décide pour Venise, qui avait si bien
accueilli *Rigoletto*, et pour le théâtre Apollo de Rome. La
première des deux œuvres à être représentée sera tout simplement celle qui sera prête la première...

C'est le *Trovatore* qui verra le premier les feux de la rampe,
le 19 janvier 1853, à l'Apollo de Rome. Mais, pour pouvoir
en parler en toute objectivité, et ne point risquer de tracer
un portrait erroné du Verdi de cette époque, il faut souligner

que ce dernier va donner la *Traviata* six semaines plus tard à Venise, et que les caractères que l'on trouve dans la première des deux partitions seront complétés — ou compensés — par ceux que l'on découvrira dans la seconde. L'une et l'autre nous offriront, du monde de la passion, deux images complémentaires, l'une toute de véhémence, l'autre toute de tendresse. Deux aspects réels du romantisme, les deux faces nécessaires d'une même attitude devant les problèmes du cœur, de la vie et de la mort.

Dès la générale, le *Trouvère* remporte un succès énorme, fracassant. Sans doute le plus triomphal que Verdi ait rencontré depuis le début de sa carrière. La nouvelle œuvre a les mêmes qualités que *Rigoletto*, des vertus de force, de rapidité, de concision qui seront désormais les dominantes du théâtre de Verdi. Ces qualités, dans le *Trouvère*, sont jointes à une coloration générale, à une couleur spécifiquement verdienne, une teinte faite de romanesque, de folklore (au bon sens du terme), de « grand spectacle » et de fantastique, tous éléments que l'on retrouvera désormais, unis ou séparés, dans tous les chefs-d'œuvre de Verdi. L'intrigue y est en effet romanesque comme elle le sera dans le *Bal Masqué*, mêlée de fantastique comme dans la *Force du Destin*, populaire comme certains passages de ces deux opéras ou de *Don Carlos*, et spectaculaire comme dans *Aïda*.

Mais un nouvel élément fait, avec le *Trouvère*, son apparition dans le théâtre de Verdi : c'est la mélancolie, une tristesse voilée qui semble couvrir tout l'ouvrage, et qui n'échappa point aux premiers auditeurs. Il faut dire que ces deux années de travail intensif n'avaient pas été, pour Verdi, exemptes de sujets d'ennui ou de chagrin. C'est en effet en juin 1851 que meurt la vieille mère de Verdi, à laquelle son fils était resté profondément attaché. De plus, lui-même souffre avec régularité de rhumatismes articulaires qui le gênent considérablement et dont il ne se débarrassera jamais désormais complètement. Et puis — et c'est là un sujet d'amertume très douloureux pour lui — il a maille à partir avec ses compatriotes de Busseto. En effet, avec peut-être un peu d'inconscience, il est revenu très tôt habiter, avec Giuseppina Strepponi, le pays qui l'avait connu heureux avec Margherita Barezzi. Les habitants de Busseto ne lui pardonnent point de s'afficher ainsi, en dehors de tout lien officiel [1], avec celle

---

1. Verdi n'épousera Giuseppina Strepponi que le 29 août 1859, à Collonges-sous-Salève (Savoie).

Giuseppina Strepponi, 1845

qui, dans son cœur, a remplacé la malheureuse Margherita. Il sent sa présence presque indésirable dès la fin de 1851, et prend la décision d'aller passer, avec sa compagne, l'hiver à Paris. Mais l'incompréhension de ses compatriotes l'attriste profondément, bien que ce soit son beau-père, Antonio Barezzi, qui comprenne avec le plus de bienveillance la situation nouvelle créée par la présence de la Strepponi aux côtés de Verdi. Enfin, ces deux années de travail intensif correspondent assez exactement, pour Verdi, à une période de solitude morale presque complète. Il a voulu s'enfermer dans une tour d'ivoire qui commence à lui peser, et peu à peu il voit s'éloigner de lui plusieurs de ceux ou de celles sur lesquels il croyait pouvoir compter. Il opérera lui-même, d'ailleurs, le retournement nécessaire, et retrouvera les amitiés perdues. Mais son isolement, et la rancœur qui en découle, se retrouvent dans la tristesse diffuse à travers toute la partition du *Trouvère*.

Toujours est-il que le climat de l'œuvre est unique dans sa production. Et le *Trouvère* est sans doute l'exemple le plus achevé d'une certaine « manière » de notre auteur. Il est certain que la complication extrême du livret — reliquat des excès romantiques — a nui peut-être à l'œuvre elle-même, et que certains esprits malintentionnés ont pu faire retomber sur la musique les faiblesses du livret. On sait que Verdi avoua ne l'avoir choisi que pour l'étrangeté et l'inattendu de certaines des situations qu'il lui offrait. De là, sans doute, un certain déséquilibre entre la qualité du livret et celle de la musique. Mais de là aussi la possibilité, pour Verdi, de laisser parler la passion à l'état pur, d'accorder, en un mot, son langage aux cris du cœur, sans ménagements d'aucune sorte. C'est une œuvre impétueuse d'un bout à l'autre, à peine adoucie çà et là par quelques accents de tendresse. Aucun frein ne semble atténuer les flots passionnés qui s'y donnent libre cours : jamais Verdi n'a été aussi violent, aussi direct, aussi brutal dans l'expression dramatique. Et c'est par là qu'il a entraîné l'adhésion du public. Le *Trouvère* est, à ce point de vue, l'œuvre la plus « romantique » de son auteur, en ce sens qu'elle n'a besoin d'aucun intermédiaire entre elle-même et l'auditeur ; le spectacle classique ne se concevait point sans un ensemble de conventions, de « règles du jeu », qui exigeaient du public et des auteurs une complicité réciproque ; le clin d'œil préalable était nécessaire dès le lever du rideau, ne serait-ce que pour s'assurer que, des deux côtés de la rampe, on avait adopté le même code secret. Le romantisme aura pour principe premier de supprimer ces codes, où la bienséance et la politesse se réservaient la part du lion. Le mélange des genres, l'assouplissement extrême de la prosodie, la hardiesse des termes, l'abolition des fameuses trois unités, tout cela, chez un Dumas ou un Hugo, joint à l'audace de certaines situations, était destiné avant tout à supprimer cette entente préalable, qui imposait au spectateur de se mettre, avant que d'aller au théâtre, dans un état d'esprit différent du quotidien ; on allait au théâtre, à l'époque classique, avec une « grille » chiffrée dans la tête, sans laquelle on risquait de ne point pouvoir traduire ce qui se passait sur la scène. Le romantisme entendra laisser à l'auditeur le droit d'arriver sans préparation au théâtre. La vie continue, et ce sera la même qui palpitera des deux côtés de la rampe. Évidemment, ce sera le règne du coup de théâtre, de la surprise, puisqu'il s'agit avant tout de ne point laisser au spectateur le temps de changer d'âme et de peau ; il faudra le prendre sur le vif, le surprendre, l'empêcher d'apercevoir que ce qui lui est offert est une fiction. Alors que son ancêtre classique arrive au théâtre en sachant que ce qu'il y verra n'est pas la vie, mais sa transposition concentrée sur un plan nettement détaché de l'existence quotidienne, le spectateur romantique perdra peu à peu l'habitude de ce passage d'un univers à l'autre, et demandera au théâtre des émotions du même ordre que celles que la vie de tous les jours peut lui offrir. L'intensité du drame, la rareté des situations, le caractère « monstrueux » des personnages sépareront seuls le théâtre de la vie.

C'est ce que, le premier, Verdi saura faire. Nous avons vu comment, avec *Rigoletto*, le drame littéraire hugolien avait trouvé son équivalent musical. Avec le *Trouvère*, le romantisme sera purement musical, puisque le prétexte n'aura rien de très littéraire ; le *Trouvère* puisera sa force romantique dans la musique même, dans la seule puissance du compositeur. Et ce sera sans doute, dans toute l'histoire du théâtre lyrique, l'apogée de la courbe romantique, les drames qui suivront n'ayant plus, vis-à-vis des « canons » de 1830, le même respect intransigeant. Car le *Trouvère*, à ce point de vue, est une œuvre d'un conformisme, ou d'une ascèse, comme l'on voudra, remarquables. Elle est au romantisme musical ce qu'« Andromaque » est au classicisme littéraire, ce que les « Indes Galantes » sont au classicisme musical.

Seulement, lorsqu'un auteur veut parvenir à ses fins, il ne tient pas toujours un compte exact des moyens qu'il entend utiliser. Et c'est ainsi que, de *Rigoletto* au *Trouvère*, Verdi a franchi un cap redoutable : celui des possibilités vocales de ses interprètes. Jusque-là, en effet, chaque chanteur voyait son rôle accordé parfaitement à son emploi, à sa tessiture, à ses moyens dramatiques et vocaux. Les nécessités du livret, de l'action, vont amener brusquement Verdi à outrepasser tout d'un coup les bornes jusque-là permises ; il va demander à ses interprètes des efforts singuliers qui les amèneront à faire tous et toutes des incursions en dehors de leurs domaines propres. Et le *bel canto*, tel qu'on l'entendait jusque-là, va être malmené d'étonnante façon par celui-là même qui en avait fait espérer la résurrection.

A ce point de vue, Verdi est sans doute unique dans l'histoire musicale. En effet, d'autres compositeurs ont bouleversé la technique de certains instruments, en leur imposant une gymnastique nouvelle ; la fonction créant l'organe, ou presque, les musiciens ont suivi ce « progrès » ; on sait que, de nos jours, les musiciens d'orchestre sont capables de prouesses qui auraient paru insensées il y a cinquante ans. Ces conquêtes sont d'ailleurs aussi bien le fruit d'intentions précises que d'erreurs d'ignorance de la part des compositeurs. A force de demander aux instruments des notes pour elles-mêmes, on a obligé les instrumentistes à plier coûte que coûte leur technique aux désirs les plus saugrenus des auteurs ; de sorte qu'aujourd'hui on peut dire que les musiciens, quels que soient leurs instruments, peuvent jouer n'importe quoi.

Mais personne avant Verdi n'avait osé s'attaquer au premier — et au plus naturel — des instruments, c'est-à-dire à la voix humaine. Depuis Monteverdi, en effet, depuis la création de l'opéra, tous les efforts des compositeurs avaient tendu à traiter la voix avec le plus de ménagements possibles ; ils avaient tous cherché à concilier au maximum leur propre originalité avec les exigences de la voix, ces dernières étant toujours les plus impératives, puisque aussi bien personne n'aurait songé à aller contre les possibilités naturelles de l'organe humain. Et, de fait, jusqu'à Bellini, la gamme des efforts déployés en vue de magnifier la voix se déploie harmonieusement, pour aboutir, chez l'auteur de « Norma », à l'apogée de la mélodie conçue pour elle-même, c'est-à-dire à une expression vocale en quelque sorte « autarcique », où toute la vertu émotionnelle est contenue dans le contour mélodique. Conçue pour mettre au maximum en valeur les ressources de la voix humaine, la mélodie de Bellini utilise ces dernières avec la plus merveilleuse « économie » ; et le génie de l'auteur est tel que chez lui le maximum d'expression coïncide toujours avec une utilisation parfaitement rationnelle du matériel vocal. De là une indifférence totale pour tout ce qui est extérieur à la mélodie, aussi bien pour l'expression dramatique et verbale que pour les effets orchestraux ou harmoniques ; le drame entier, chez Bellini, est contenu dans la ligne mélodique ; c'est le triomphe définitif du *bel canto*.

Un triomphe définitif, mais éphémère. En effet, la pureté presque surhumaine atteinte par Bellini ne pouvait être dépassée — ni même atteinte. De plus, la discipline supérieure qu'elle supposait était en opposition flagrante avec le romantisme des sujets traités ; cet hiatus n'était explicable que par le retard inévitable qui a toujours séparé l'expression littéraire de l'expression musicale. Vingt ans après, ce décalage ne pouvait plus exister, et les modes d'expression musicaux devaient être parfaitement accordés avec les nécessités du drame. Avec *Rigoletto*, Verdi avait déjà aligné son langage sur celui d'un Victor Hugo. Avec le *Trouvère*, il va pousser ses conquêtes jusque dans le domaine vocal.

Tout d'un coup, les effets qu'il va réclamer aux chanteurs vont forcer ces derniers à réviser une technique vocale mise au point par des siècles de *bel canto*. De même qu'Hugo et Dumas avaient déhanché l'alexandrin racinien, et fait pousser de « beaux cris » à leurs interprètes, de même Verdi va introduire dans le chant, avec une liberté jusque-là inconnue, des éléments parfaitement hétérogènes. Le drame et l'expression théâtrale vont désormais passer avant la pureté mélodique, et la ligne vocale va admettre dans son sein tout ce que plus de deux siècles de classicisme s'étaient efforcés d'expulser définitivement.

Ce n'est pas tout. Préoccupé avant tout d'expression dramatique, Verdi va être amené à faire éclater les limites de prudence à l'intérieur desquelles la tradition enfermait jusque-là les voix. Soucieux d'accorder à la ligne mélodique une ampleur plus grande, il va demander à tous les chanteurs de déborder régulièrement en dehors des bornes jusque-là assignées à leurs « emplois ». C'est ainsi que tout soprano deviendra ce qu'on appelle en Italie un « lirico spinto », c'est-à-dire une voix lyrique très étendue, dans le grave comme

dans l'aigu. Les voix de mezzo seront amenées à monter considérablement. Et si les voix de basse ou de ténor conserveront à peu près leurs limites habituelles, celle de baryton verra sa tessiture élargie d'étonnante manière. Dans le *Trouvère* (car c'est avec lui que commence cette véritable révolution), la soprano qui, après « Tacea la notte placida », doit chanter le « Miserere » et le duo du quatrième acte n'est plus une soprano à l'ancienne mode ; elle doit posséder une étendue de voix rare, et une puissance également répartie sur toute la tessiture. Quant aux barytons, on sait que le nom de Verdi va s'attacher à une catégorie de chanteurs possédant une voix très large et qui, semble-t-il, va naître avec ses opéras eux-mêmes. Là aussi, la fonction va créer l'organe. Les « barytons Verdi » vont commencer à se trouver sur le « marché » des chanteurs. Et ce qui semblait impossible deviendra bientôt monnaie courante.

Mais les réformes — et encore moins les changements pour ainsi dire « physiologiques » — ne se font point en un jour. Il est très naturel qu'à son apparition le *Trouvère*, s'il suscita par sa force d'émotion l'enthousiasme du public, ait dressé contre lui une grande partie de la cri-

Les « Chanteurs de Verdi » aux répétitions.
(caricatures de Defico).

tique. La révolution était trop brutale ; les habitudes ne se perdent pas ainsi, et le choc causé par le *Trouvère* trouva bien des adversaires. Alors que Verdi donnait à l'art lyrique, en semblant malmener les voix, la secousse qui allait lui permettre de continuer à vivre, au lieu de rester stagnant sur les positions déjà acquises, l'ensemble de la critique réagit violemment, et reprocha à notre compositeur de trahir délibérément le *bel canto* et la tradition musicale de l'Italie. Les délires de joie, les cris de douleur, les sanglots de rage qui éclatent çà et là dans la phrase musicale, et qui en rompent l'ordonnance, parurent aux critiques autant de crimes de « lèse-chant ». Mais le public, en faisant dès la première un triomphe à ce *Trovatore*, montra qu'il ne s'y trompait point, et que Verdi — contre les critiques — était du côté de la vie.

C'est encore la vie qui va triompher avec la *Traviata*, représentée à Venise, au théâtre de la Fenice, le 6 mars 1853, c'est-à-dire six semaines après la première du *Trovatore* à Rome. Mais la vie peut avoir mille aspects différents ; le *Trouvère* en illustrait d'exceptionnels, d'héroïques, et réussissait à être le chef-d'œuvre musical du romantisme malgré les faiblesses manifestes du livret. La *Traviata* va être l'archétype de la pièce bourgeoise, telle que la seconde moitié du XIXᵉ siècle va l'entendre, sans pour cela trahir un seul instant les droits de la passion, ni ceux de la musique.

En composant coup sur coup — et même ensemble — le *Trouvère* et la *Traviata*, Verdi parvint à réaliser au même moment deux chefs-d'œuvre de styles opposés. Avec la *Traviata*, en effet, au lieu d'être, avec vingt ans de retard, l'écho fidèle et musical du romantisme littéraire, Verdi offre immédiatement le pendant sonore d'une pièce contemporaine. « La Dame aux Camélias » d'Alexandre Dumas fils parut d'abord, sous la forme d'un roman, en 1849. Dumas lui-même en tira une pièce, représentée à Paris, au Vaudeville, en 1852. Mais Verdi avait déjà décidé d'en faire un sujet lyrique, au moment même où il commençait le *Trouvère*, ce qui rehausse encore son mérite. D'abord parce qu'il mena de front la composition simultanée de deux ouvrages d'esprit absolument différent. Ensuite parce que la *Traviata* est l'un des très rares exemples d'ouvrages lyriques issus directement, et sans délai, d'une pièce qui leur est exactement contemporaine. Ce fut le cas, déjà, pour les « Noces de Figaro » de Mozart, séparées par deux années à peine de leur original français. Mais, alors que Mozart n'avait retenu, de Beaumarchais, que l'affabulation, que la seule intrigue, en laissant de côté tout ce qui, dans l'auteur français, était plus ou moins nouveau et révolutionnaire — Verdi, lui, comprend tout de suite que Dumas est un initiateur, et que sa « Dame aux Camélias » ouvre les voies à un théâtre totalement neuf, à ce qui sera la vraie comédie contemporaine. Loin de rester en arrière d'un tel sujet, et de reculer devant ses audaces, Verdi, au contraire, va approfondir tout ce qui en fait la nouveauté, et accentuer son côté passionné. Exemple unique de correspondance exacte entre la littérature et la musique. Miracle d'un double travail mené sur deux fronts parfaitement opposés. La *Traviata* se devait d'avoir dès l'abord un destin hors série. L'inattendu, pour un homme comme Verdi, ne pouvait être qu'un total insuccès : ce fut le cas pour *Traviata*, amoureusement surveillée par son auteur, et qui fut accueillie, à la Fenice de Venise, par un « fiasco » complet. On a ergoté — et on ergotera encore longtemps — sur les causes d'un échec aussi fracassant, et que la postérité devait démentir d'aussi éclatante manière. On a cru pouvoir en accuser les costumes, et alléguer la stupeur d'un public peu préparé à voir chanter des personnages en costumes contemporains. Mais on oublie que, dès avant la première, Verdi effrayé lui-même de l'audace qu'auraient constituée des costumes de son époque, avait transféré l'action au XVIIᵉ siècle... Si le public fut aussi houleux — ainsi que la plupart des critiques —, c'est que, tout d'abord, l'audace du sujet elle-même ne pouvait que le déconcerter. Mettre sur scène — et en Italie ! — une fille entretenue, et lui donner le beau rôle, choquait au moins le vernis de bienséance d'origine religieuse que possédaient la plupart des auditeurs. Mais la faute de cet échec revient surtout aux chanteurs qui avaient à défendre la partition. La Salvini-Donatelli possédait un embonpoint assez peu conciliable avec la phtisie dont elle était censée mourir ; et, des deux chanteurs principaux, Graziani était à moitié aphone, alors que Varese, n'ayant pas compris l'importance de son rôle, ne lui accordait point tous ses soucis. C'est sans doute à une distribution défectueuse que l'on doit attribuer le « fiasco » monumental qui accueillit la première de la *Traviata*, et que les représentations qui suivirent immédiatement ne firent qu'aggraver. On se doit d'ajouter que tout auteur possède, pour le public, un style, une « manière » qui lui sont propres, et auxquels le spectateur est préparé. La moitié du plaisir ressenti par le spectateur d'un opéra nouveau de Verdi venait jusque-là de ce qu'il y avait pour lui de prévu dans ce même plaisir. Que Verdi (et au moment même du *Trouvère*) ait radicalement changé son style avait quelque chose d'inadmissible ; et le public le lui fit bien sentir — comme on punit quelqu'un qu'on aime bien d'une infidélité trop flagrante.

Il est juste, à la décharge de ce même public vénitien, de signaler que, sur l'initiative de quelques fidèles défenseurs de Verdi, qui avaient su, dès la première, défendre la partition, une reprise de la pièce, le 6 mai 1854, au théâtre Gallo a San Benedetto de Venise, connut un succès triomphal. Le public avait sans doute eu le temps, à la fois, de s'accoutumer à un style si nouveau, et de mesurer son ingratitude envers l'une de ses plus sûres idoles ; et puis, la reprise bénéficia, enfin, d'une distribution hors de pair, de sorte que le succès rassura pleinement Verdi sur le sort d'une de ses œuvres à laquelle il tenait le plus. C'est lui qui, plus tard, répondra à quelqu'un qui lui demandait quelle était son œuvre préférée : *Si j'étais un professionnel, « Rigoletto » ; mais, si j'étais un amateur, j'aimerais plus que tout « Traviata ».*

REGIO TEATRO

Questa sera, Martedì 14 Giugno 1859, alle ore 8 1/2

si rappresenterà il BALLO intitolato

RODOLFO DI GEROLSTEIN

OVVERO

UN EPISODIO DEI MISTERI DI PARI

composto dal Coreografo sig. P. BORRI, che viene riprodotto dal sig. EFFISIO CATTE.

Prenderanno parte la distinta danzatrice signora CATERINA BERET nonchè i primi Mimi signora Raffaella Santalicante, i signori Ef Catte, e Federico Ghedini, oltre l'intero personale della R. Scu ed il consueto corpo di Ballo.

Si rappresenteranno inoltre il 1. ed il 4. atto ed alcuni altri pezzi dell'Opera

IL TROVATORE

del M. Cav. G. VERDI Uffiziale della Legion d'onore

in cui canteranno le sig. Carmelina Poch, ed Annetta Elleri, nonchè i sig. Mariano Neri, Achille Grandi, e Luigi Alessandri

DISTRIBUZIONE DELLO SPETTACOLO

1. Primo atto dell'Opera **IL TROVATORE.**
2. Tre pezzi nel **2.°** e **3.°** atto dell'Opera suddetta.
3. Il Ballo **RODOLFO DI GEROLSTEIN.**
4. L'Ultimo atto dell'Opera suddetta.

Prezzo del Biglietto d'ingresso alla Platea **Fiorini 1. 05.** pari a Franchi 2. 65.
» d'una Sedia Fissa » 1. 05. » » 2. 65.
» del Biglietto d'ingresso al Loggione Soldi 35. » » 88.

Milano, dal Camerino del Teatro li 13 Giugno 1859.   L'Imp. Fratelli MAR

ALLA SCALA

Cette soire Mardi 14 Juin 1859 à 8 heures et 1/2

ON REPRÉSENTERA LE BALLET

RODOLPHE DE GEROLSTEIN

OU

UN ÉPISODE DES MYSTÈRES DE PARIS

s lequel prendront part la première danseuse **BERETTA** ainsi que les
niers artistes mimes M.° Santalicante, et MM.° Catte et Ghedini,
i que toutes les élèves de l'Ecole Royale de Danse, et tout le Per-
nel du Corps-de-Ballet.

ON REPRÉSENTERA AUSSI.

le **1.** et **4.** acte et plusieurs morceaux de l'OPERA

LE TROUVERE

de M.' VERDI, Chevalier de la Legion d'honneur.

dans lequel chanteront

M.° POCH. et ELLÈRI ainsi que MM.° NERI, GRANDI et
ALESSANDRINI.

ORDRE DU SPETACLE

Le premier acte de l'Opera **LE TROUVÈRE.**
Trois merceaux du seconde et troisième acte de l'Opera sus-dit.
Ballet **RODOLPHE DE GEROLSTEIN.**
Le dernièr acte de l'Opera sus-dit.

Prix du Billet d'entrée:	Francs	2. 65.
» d'une Stale (en plus de billet d'entrée)	»	2. 65.
» du Billet d'entree au paradis	»	— 88.

Milan, 13 Juin 1859.
Les Entrepreneurs MARZI FRERES.

" Victor-Emmanuel Roi d'Italie "

partir du mois d'octobre 1853, Verdi va habiter Paris. Il s'est engagé à donner à l'Opéra une œuvre originale, sur un livret français — ce qui représente, soit dit en passant, un bel effort pour un compositeur étranger. Avec le directeur de l'Opéra, Roqueplan (qui n'était pas d'une franchise ni d'une honnêteté très scrupuleuses), il s'était entendu sur un livret de Scribe, les *Vêpres Siciliennes*. Le succès incontestable que remportera, le 13 juin 1855, cet opéra sur la scène du grand Opéra parisien sera d'autant plus méritoire que tout avait semblé jusque-là concourir à son échec. D'abord, une histoire héroï-comique retarda considérablement les répétitions. La cantatrice principale, la Cruvelli, qui joignait, à un très grand talent, les symptômes d'une charmante et très douce folie, avait éprouvé le besoin de disparaître de la circulation au moment précis où devait commencer la mise en place de l'opéra de Verdi. Sa fugue, qui dura plus d'un mois, n'arrangea point un climat assez tendu entre l'auteur et la *grande boutique*, comme il avait surnommé l'Opéra de Paris. Tout se passait en effet comme si ceux-là mêmes qui lui avaient, de leur plein gré, commandé une œuvre pour leur théâtre faisaient tout d'un coup preuve de la plus parfaite mauvaise volonté vis-à-vis de cette dernière, et semaient, sous les pas du compositeur engagé par leurs soins, les peaux de banane les plus efficaces. L'auteur du livret, on l'a vu, était Scribe. Mais on ne pouvait rêver accouplement plus étrange que celui de Verdi et de Scribe, qui avaient de leur art deux opinions pratiquement inconciliables. En effet, la sincérité et l'honnêteté scrupuleuses de Verdi étaient assez peu faites pour s'accorder avec les procédés de Scribe. Auteur fécond, connaissant à fond toutes les « ficelles » d'un métier qu'il pratiquait depuis longtemps, Scribe, après avoir obtenu au théâtre des succès flatteurs et répétés, avait découvert une nouvelle mine avec les livrets d'opéras et d'opéras-comiques. Tant et si bien que, grâce à son insurmontable habileté, il était devenu le fournisseur attitré d'une foule de compositeurs et d'un grand nombre de théâtres. Il ne pouvait plus suffire à la demande, et avait organisé une véritable officine, où s'élaboraient à la chaîne, sous sa haute direction, les livrets qu'il s'était engagé à fournir. Cette manière d'opérer, qui rappelait un peu l'agence Dumas père, et qui avait pour Scribe l'immense avantage de lui réserver des revenus abondants sans lui demander un trop grand effort, inaugurait une ère nouvelle dans l'histoire du théâtre. On sait combien nos mœurs actuelles se ressentent d'un tel exemple, et combien les scrupules ont pu s'émousser, avec le temps... Pour le livret des *Vêpres Siciliennes*, le « nègre » fut Charles Duveyrier. Cette manière de procéder heurtait déjà considérablement le tempérament de Verdi, et n'était pas faite pour le réconcilier avec cette « légèreté » française contre laquelle son bon sens paysan se révoltait depuis longtemps. Mais, de plus, Scribe, en lui donnant son livret des *Vêpres*, n'avait pas cru devoir l'avertir qu'il s'agissait là du « remake », comme on dit maintenant, d'un livret qu'il avait jadis fait pour Donizetti, et que ce dernier n'avait eu le temps, avant sa mort, de mettre qu'à moitié en musique [1].

1. Il s'agit du « Duc d'Albe » qui, terminé par Salvi, sera donné à Rome en 1882.

Scribe, on le voit, savait utiliser les restes !...

Quant au sujet lui-même, on conviendra que, pour les débuts parisiens de notre compositeur, il était assez mal choisi. Il s'agit en effet de la révolte spontanée qui opposa soudain, le 30 mai 1282, les patriotes siciliens, sous la conduite de Giovanni da Procida, et les occupants français, qui furent rejetés sans plus de façons à la mer avec de considérables pertes. Il est évident que tous ceux qui, en France — compositeurs ou critiques —, étaient jaloux de la suprématie exercée par Verdi au théâtre, eurent beau jeu d'attaquer ce qu'il pouvait y avoir de « provocateur » dans un pareil sujet... Parmi les critiques, le plus acharné fut l'inévitable Scudo, italien « renégat », qui semblait en vouloir personnellement à Verdi. Quant aux compositeurs, leur attitude fut le plus souvent calquée sur celle du jeune Saint-Saëns, qui, déjà xénophobe, conseille ironiquement à Verdi de mettre en musique la Bataille de Pavie et celle de Waterloo !... Et puis, c'est l'Exposition universelle de Paris et l'honneur dévolu, en pareille circonstance, à un compositeur italien semble couvrir de honte ses collègues français Auber, Halévy, Berlioz, et tant d'autres.

Enfin, l'arrivée en force, à Paris, pour la première, d'amateurs italiens venus de toutes les grandes cités de la Péninsule donna à cette représentation un aspect politique qui, au moment où troupes piémontaises et françaises combattaient côte à côte en Crimée, ramenait le compositeur presque quinze ans en arrière. Et, de fait, la partition des *Vêpres Siciliennes*, par tout ce qu'elle contient de purement italien, de directement « national », semble renouer, par-delà des œuvres plus universelles comme *Rigoletto*, *Trouvère* ou *Traviata*, avec la tradition glorieuse des opéras « révolutionnaires », de ceux qu'avait fait naître le *Risorgimento*. Elle emprunte, à ses aînées, sa force, sa virulence, son émotion et son pathétique. En même temps, elle annonce, par ses plus grandes proportions, dues aux nécessités de l'opéra « historique » tel qu'on le pratiquait à Paris, les œuvres qui suivront, comme la *Forza del Destino* ou *Don Carlos*. Paradoxalement attaqué par les censures italiennes, l'opéra de Verdi devra se travestir en *Giovanna di Guzman* jusqu'en 1861, pour pouvoir conquérir les scènes de la Péninsule. Mais le succès qu'il rencontrera un peu partout ne doit point faire oublier son caractère quelque peu bâtard ; en cherchant à renouer avec sa première veine d'inspiration, après

Les Vêpres Siciliennes

la « Trilogie », Verdi n'a pas pu se dégager de l'empreinte laissée par ses dernières œuvres, et les *Vêpres Siciliennes* se ressentent d'une dualité trop évidente. De plus, ayant à écrire, sur un livret français (ce qui le gênait tout de même), pour l'Opéra de Paris, il devait se plier aux règles du jeu appliquées à la *grande boutique* — et il est certain que la prolixité alors en honneur sur notre scène nationale correspondait assez mal avec le style direct, rapide et efficace qui était le sien.

Presque deux années séparent les *Vêpres Siciliennes* de la première de *Simon Boccanegra* à la Fenice de Venise. Cette période fut une période très fatigante pour Verdi. En effet, souffrant des maux intolérables d'estomac qui le suivront toute sa vie, il doit non seulement composer une œuvre nouvelle, mais encore s'occuper des reprises de ses autres œuvres, d'un procès contre l'impresario espagnol du Théâtre Italien de Paris, Calzado, d'une campagne, dont il est le promoteur, en faveur des droits de représentation des œuvres lyriques — le tout tantôt à Paris, tantôt à Busseto, tantôt dans telle ou telle autre ville où se monte l'un de ses ouvrages.

« *Simon Boccanegra* » à la Scala de Milan,
(dessin de Ximenes).

Quant au sujet de son nouvel opéra, *Simon Boccanegra*, il y songe depuis une dizaine d'années. Il s'agit, là encore, d'un sujet patriotique, sur la conjuration de Fiesque. Mais on doit avouer que la complexité invraisemblable de l'intrigue ne pouvait que nuire considérablement à la réussite d'une œuvre pourtant pleine de musique, et de la meilleure. Il est évident que Verdi n'a pas encore, et de loin, acquis la culture qui peut lui permettre de juger immédiatement de la valeur intrinsèque d'un livret. Plus tard, bien plus tard, Boïto sera pour lui le conseiller idéal. Mais actuellement, en 1857, ce qu'il demande avant tout à un livret, c'est d'offrir des situations extrêmes, qui permettent au dialogue de s'élever sur les cimes de la passion, et par là même à la musique d'atteindre son expression la plus tendue. Peu importe comment sont amenées ces situations d'exception ; Verdi se préoccupe fort peu de la vraisemblance, et on peut bien dire que ce n'est point elle qui caractérise *Simon Boccanegra* ; Verdi avait l'instinct du théâtre, mais cet instinct demandait à être encore considérablement affiné.

Quoi qu'il en soit, c'est certainement l'absurdité du livret qu'il faut rendre responsable de l'échec immédiat, à Venise, de *Simon Boccanegra*. Verdi écrit en effet une musique qui adhère si exactement au texte du livret que les défauts de ce dernier ne peuvent que rejaillir sur la musique. Ses meilleurs opéras sont ceux qui ont les meilleurs livrets. Le cas de *Simon Boccanegra*, à ce propos, est révélateur ; le 24 mars 1881, la Scala donnera de cet ouvrage une nouvelle version, avec un livret refait entièrement par Boïto et le succès qu'il remportera alors, en consolant Verdi de son échec premier, lui montrera de quel soin les livrets méritent d'être entourés.

Le 16 août 1857, trois mois après la « première » de *Simon Boccanegra* à Venise, c'est la création, au théâtre de Rimini, d'*Aroldo*. Cet opéra fut aussitôt surnommé le « Stiffelio riscaldato », le « Stiffelio réchauffé ». Et, de fait, passé maître dans l'art d'accommoder les restes — et surtout ne voulant point que l'une de ses œuvres restât sur un échec — Verdi avait, en vue de l'inauguration du nouveau théâtre communal de Rimini, repris entièrement son malchanceux *Stiffelio*, et avait confié la « restauration » du livret à son librettiste F. M. Piave. La nouvelle partition (car Verdi avait changé certains passages et en avait ajouté d'autres) ne pouvait que souffrir d'une origine aussi bâtarde. En effet, reprenant en 1857 un opéra datant de 1850, il ne pouvait ni retrouver la veine d'autrefois, ni renier les transformations de la « Trilogie ». Le nouvel *Aroldo* manque totalement d'unité de style, et, par comparaison, *Stiffelio*, avec le recul, paraissait plus réussi. Les spectateurs de la première — tout en réservant un accueil triomphal à Verdi, qui était venu en personne inaugurer le théâtre — trouvèrent tous que « ce qu'il y avait de nouveau dans l'œuvre était trop nouveau, et que ce qu'il y avait d'ancien était trop ancien ». Condamnation sans appel pour un ouvrage lyrique, qui d'ailleurs n'eut jamais, par la suite, l'occasion de faire carrière. Mais Verdi, en le reprenant, avait tenu à lui donner une fois de plus ses chances devant le public. Notons seulement que la facilité avec laquelle il acceptait — ou même demandait — de plier une même musique à des livrets totalement différents, à des situations souvent opposées, dénote chez lui une conception de la musique étrangement « arrangeante » — et qui disparaîtra bientôt de son esprit, au fur et à mesure qu'il accordera plus d'importance à un texte qu'il soignera avec de plus en plus de sollicitude.

La carrière de Verdi, on l'a vu depuis le début de cet ouvrage, semble étrangement liée à l'évolution politique de l'Italie, à cause des propres sentiments du compositeur et des incidences que rencontrèrent, sur le plan patriotique, certaines de ses œuvres. En 1859, il semble qu'après quelques années de « moindre concordance » politico-musicale, la politique reprenne la place, dans l'évolution de l'opéra de Verdi, qu'elle y possédait jadis. Et, de fait, jamais Verdi n'avait eu maille à partir avec la censure comme pour ce *Ballo in Maschera* (« Le Bal Masqué ») que représenta le théâtre Apollo de Rome, le 17 février 1859.

Verdi, depuis quelques années, devait donner un opéra nouveau au théâtre San Carlo de Naples. Après avoir hésité entre beaucoup de livrets (parmi lesquels un « Ruy Blas », qui nous prouve quelle importance pouvaient avoir pour lui l'inspiration espagnole — cf. *Trovatore* — et le drame hugolien — cf. *Rigoletto*), Verdi s'arrête sur un drame historique de Scribe, *Gustave III*, qui lui semble fournir un rare ensemble de situations et de sentiments. Mais, dans ce drame, il est question d'un régicide — et, comme jadis, les censures ne peuvent laisser « passer la chose ». Le gouvernement des Bourbon de Naples — indisposé par les répercussions de l'attentat d'Orsini — oppose un veto formel à la représentation d'un drame pour lequel il suggère des changements d'une telle ampleur que le sujet original disparaît complètement, et que Verdi, hautain comme il savait l'être, ne peut que refuser de s'incliner. A Rome, la censure est plus souple — en tout cas, l'impresario, Jacovacci, est plus diplomate — et les changements apportés au livret ne le dénaturent point. De sorte que ce *Gustave III*, baptisé successivement *Una vendetta in domino*, puis *Adelia degli Ademari*, devient définitivement *Un Ballo in Maschera*, et que l'intrigue nous transporte en Amérique du Nord sous la domination anglaise. Notons en passant que le livret de Scribe avait été écrit pour Auber, et que ce premier *Gustave III* avait été donné à l'Opéra de Paris en 1833 ; repris par Cammarano et remis en musique par Mercadante, il avait revu le jour, à Turin, en 1845. Enfin, Bellini, aux alentours de 1834, avait sérieusement songé à se l'approprier. On voit qu'au milieu du XIXe siècle régnait assez peu la hantise de l'originalité, et que, comme à l'époque classique, les livrets passaient allégrement d'un compositeur à l'autre ; c'était même, sans doute, un élément supplémentaire d'intérêt pour le public, qui trouvait, dans cette émulation collective, une excitation nouvelle.

Pour en revenir à ce *Ballo in Maschera*, il semble résumer assez exactement toutes les tendances passées de la carrière de Verdi, et offrir un panorama complet de sa personnalité en 1859. En effet, tout l'éventail de ses expressions y est représenté. Il y a l'aspect national, patriote — il y a la peinture de la passion amoureuse et tendre — il y a le romantisme ardent et déchaîné — il y a du fantastique aussi (Ulrica est sœur d'Azucena) — il y a, fait nouveau, la peinture de l'amitié, qui est un sentiment encore inconnu dans le théâtre de Verdi — bref, il semble que ce dernier ait voulu offrir un « digest » de son talent. Alors que, dans *Aroldo*, le disparate se faisait cruellement sentir, le *Bal Masqué* réalise miraculeusement l'unité de styles profondément divers. Mais il ne semble point que ce soit cette qualité qui ait fait, le soir de la première, le succès de cet opéra. Il bénéficia bien plutôt de cette immense bouffée de patriotisme qui venait d'envahir toute l'Italie depuis que Victor-Emmanuel II — soutenu par la France — avait pratiquement déclaré la guerre à l'Autriche. Les foules qui acclament le nom de VERDI sous-entendent toutes VICTOR-EMMANUEL, ROI D'ITALIE. Et Verdi peut se croire revenu dix-sept ans en arrière, à l'époque glorieuse et héroïque de *Nabucco*.

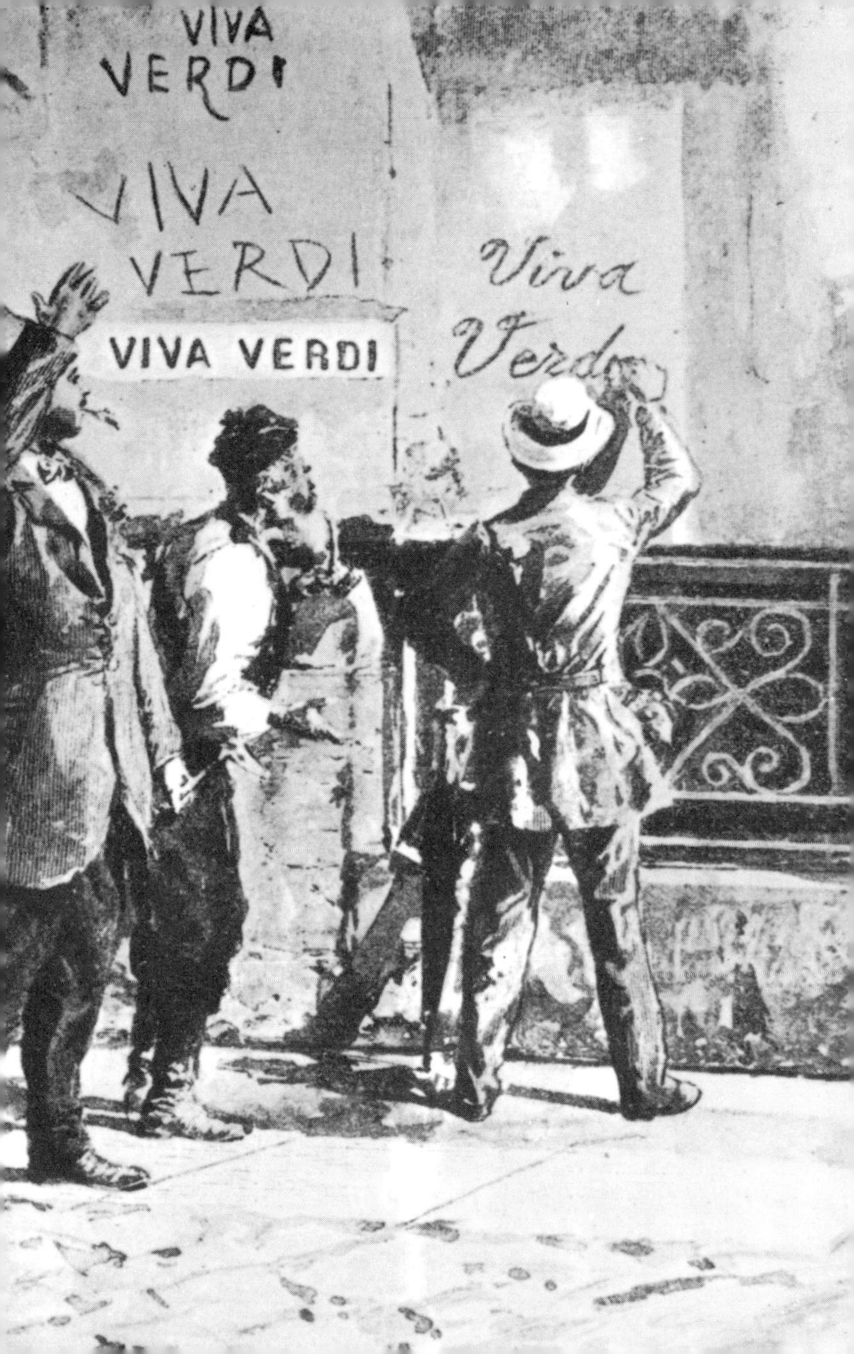
VIVA VERDI
VIVA VERDI
VIVA VERDI
Viva Verdi

Le Bal Masqué

C'est le 17 février 1859 que le *Bal Masqué* triomphe à Rome.
C'est le 23 avril de la même année que l'Autriche et le Piémont entrent en guerre ; c'est le 29 août que, dans la petite
église de Collonges-sous-Salève, l'abbé Mermillod unit
religieusement — dans une Savoie encore italienne — Verdi
et sa compagne Giuseppina Strepponi. C'est sans doute cette
année qui marque l'apogée de la carrière de Verdi. Non
pas tellement pour la valeur d'une œuvre ; mais parce que
c'est à ce moment que Verdi atteint, au point culminant de
sa « forme » physique, sa plus grande puissance de travail
et l'organisation la plus équilibrée de son esprit. Les années
à venir vont nous apporter des chefs-d'œuvre encore plus
accomplis, encore plus définitifs : Verdi n'aura plus, malgré
tout, cette souveraine aisance, cette désarmante facilité qu'il
possède aux alentours de 1860. Les œuvres qu'il écrira lui
demanderont plus de temps, plus de soins, et elles relèveront

*Verdi présente à Victor-Emmanuel
le plébiscite d'Émilia en 1859 (dessin de Mataria).*

EDITORI E. BERARDI & C. - MILANO

A PALESTRO 30-31 maggio — QUARTIER GENERALE PRINCIPALE
(Nel fondo la chiesa di Palestro e l'ant...

N. 1. S. M. il Re VITTORIO EMANUELE cmdt. in capo l'armata sarda. — 2. Il mg. (poi ten.) gen. E.
cmdt. la brig. Regina (nell'uniforme di col. del regg. cavalleg. Saluzzo). — 5. Cmdt. il 9° regg. (col. B
8 Id. il 16° id. (col. DHO) — 9. Cmdt. il 6° bersagl. (ten. col. BALEGNO). — 10. Id. del 7° id. (mg. (poi
VEGLIASCO). — *Quartier generale principale.* — 13. Capo di st. magg. (ten. gen. E. M. DELLA ROCCA). — 14
(mg. gen. SOLAROLI). — 16. Ispett. delle r. r. scuderie (col. di cavall. MARTINI DI CIGALA). — 17 e 18. Sot
DI S. FRONT, col. di cavall. (Saluzzo). — 20. Medico di S. M. il Re (dr. ADAMI). Seguono ufficiali d'ordin,
di bersaglieri. — 24. Bersagliere. — 25 a 31. Ufficiali, vivandiera, graduati e soldati delle due brigate Regin

ONE DELL'ARMATA SARDA - 3º REGGIMENTO ZUAVI FRANCESI.
posto ove oggi sorge il monumento).

la 4ª div. (div. bianca). — 3. Il col. CHABRON cmdt. il 3º zuavi. — Il col. brig. PES DI VILLAMARINA
, Id. il 10º Id. (col. REGIS). — 7. Brigata Savona - Cmdt. il 15º regg. (col. BIANCHIS DI POMARETO.
EA). — 11. Capo di st. magg. della div. t. col. d'artigl. E. CUGIA). — 12. Cmdt. l'artigl. mg. CELESIA DI
en. di S. M. il Re (mg. gen. d'artigl. D'ANGROGNA). — 16. Gen. addetto al Quartier Gen. Principale
agg. (col. REGHINI DI S. GIORGIO e ten. col. G. GOVONE). — 19. Aiut. di c. di S. M. il Re (NIGRI
l armi ed il pelottone dei carab. reali di scorta. — 21. Uffic. del 3º zuavi. — 22. Zuavo. — 23. Uffic.
, 31 Artiglieria, in mantello e cappotto — 25. L'ufficiale del reggi cavalleria Alessandria addetto

d'une plus haute ambition : mais il leur manquera peut-être ce je ne sais quoi d'impétueux et, disons-le, de jeune qui caractérise les chefs-d'œuvre d'avant 1860.

Ses forces alors débordantes, Verdi les consacre avant tout à son œuvre, et à sa mise en valeur. Mais, à une époque où se fait cette unité italienne pour laquelle, depuis le début de sa carrière, il s'est posé en champion, il ne peut que se passionner pour des événements auxquels son renom l'oblige d'ailleurs à prendre part. Il va être — comme tous les Italiens — tour à tour enthousiasmé par l'attitude chevaleresque de Napoléon III, puis déçu profondément par l'armistice de Villafranca, qui abandonne la Vénétie à l'Autriche. On sait qu'en outre, d'après les clauses de Villafranca, les princes chassés de leur trône pouvaient reprendre possession de leurs États. L'Italie entière refusa d'entériner des dispositions qui faisaient si ouvertement fi de ses aspirations profondes. Et, dans toute l'Italie centrale, se préparent les plébiscites qui, passant outre à Villafranca, décideront l'annexion volontaire des anciens États au Piémont de Victor-Emmanuel. Verdi sera tout naturellement désigné pour aller présenter au roi, à Turin, les 426 000 votes du plébiscite de l'Émilie. Il fait nettement figure de grande gloire nationale à cette époque. Une image le représente à l'audience qu'accorda Victor-Emmanuel aux représentants émiliens. Il est magnifique de force et d'allure, avec sa barbe toujours bien noire, sa stature rigoureusement droite, son port impérieux — et assez intransigeant. Il faut dire que, par tempérament et aussi par la grâce de ses succès triomphaux, Verdi se montrait assez sûr de lui — avec cette tranquillité que Corneille, par exemple, avait pu afficher. Seules ses lettres les plus intimes nous feront assister aux crises passagères de découragement qui le feront douter par moments de sa propre valeur. Mais, outre qu'il s'est toujours repris très vite, jamais le public n'a pu connaître ce Verdi tourmenté et parfois inquiet. Toujours le ton même qu'il prendra pour parler à autrui sera fait d'autant de fierté que de bonhomie — avec un soupçon de mépris plus ou moins indulgent pour ce qui lui est étranger. Sûr de son talent, il entend conserver à son propre personnage tout ce qui peut le rendre dès à présent légendaire. Et son caractère — parfois difficile — est lui-même un des éléments de la statue vivante qu'il propose aux foules.

En tout cas, son prestige est immense, et, tout en ménageant tout naturellement sa santé — qui n'a jamais été excellente depuis qu'il souffre de maux d'estomac —, il s'intéresse ouvertement, sans pouvoir y prendre une part plus active, aux événements qui, en 1860, se succèdent à une cadence de plus en plus accélérée. C'est ainsi que, au moment où le théâtre communal de Bologne crée son *Ballo in Maschera*, il se soucie de l'expédition des « Mille » qui, sous la conduite de Garibaldi, avait débarqué en Sicile, conquis cette dernière, et remontait la botte italienne. C'est également ainsi que — intermède nettement politique dans une carrière toute dédiée à la musique — il accepte, après bien des hésitations et devant l'insistance personnelle de Cavour, pour lequel il professe une immense admiration, de se présenter à la députation, pour faire partie de ce premier Parlement national que Victor-Emmanuel veut réunir à Turin. Les quatre mois qu'il va passer comme député à Turin seront une parenthèse unique dans sa vie. Il aura ainsi la joie d'assister à cette fameuse séance du 15 mars 1861, où le Parlement, réuni au palais Carignan, proclame le Royaume d'Italie et donne à Victor-Emmanuel le titre de roi d'Italie. Il vote, le 27 mars, la proposition de Cavour réclamant que Rome soit rendue à l'Italie. Bref, il partage, pendant ces quelques mois, les joies un peu délirantes de ces hommes venus de toutes les parties de l'Italie, et qui, au sens propre du terme, sont en train de « faire » leur pays. Il aura eu la chance d'arriver là au bon moment, au moment le plus exaltant. Maintenant que l'Italie existe, il ne lui reste plus qu'à reprendre sa carrière interrompue un moment : déjà, du fond de la Russie, une invitation vient de lui parvenir, qui va le forcer à renouer avec son travail.

Paris

e temps n'est plus où Verdi acceptait toutes les offres qui lui étaient faites, et souvent sur des livrets impossibles. Son revenu est définitivement établi ; il peut se permettre de choisir textes et théâtres, et de ne se mettre au travail que lorsqu'il est sûr de ne point faire un faux pas. C'est ce qui explique les lenteurs qui précéderont la création de *La Force du destin* à Saint-Pétersbourg. Fort honoré d'avoir été pressenti pour donner une œuvre nouvelle dans la capitale russe, Verdi avait cependant longtemps hésité. Quitter une Italie ensoleillée pour se retrouver dans les neiges de l'hiver russe ne le tentait guère. Et il ignorait tout des conditions dans lesquelles son œuvre serait créée. Et puis, le livret lui manquait. Car il avait d'abord envisagé de donner en Russie ce « Ruy Blas » hugolien auquel nous savons qu'il avait pensé depuis longtemps. Mais les censures sont partout les mêmes, et l'administration des théâtres impériaux russes avait conseillé de ne point retenir un sujet aussi « dangereux ». C'est alors que Verdi se rejeta sur une pièce de Don Angelo de Saavedra, duc de Rivas, « Don Alvar » ou *La Force du Destin*, représentée à Madrid en 1835, et dont il chargea Piave de tirer un livret. Ce n'est point, on l'a vu, le temps qui pressait Verdi pour le choix de son livret ; sa liberté d'allure lui permettait de se donner le temps de la réflexion. Malgré tout, on pourrait croire que son sens critique se trouva en défaut en cette occasion, car il est difficile d'approuver sans réserves un livret aussi étrangement conçu, et où l'affabulation semble jouer aussi ouvertement à cache-cache avec la vraisemblance. Et, pourtant, s'il est vrai qu'en fin de compte le public est celui qui, après tout, a toujours le dernier mot, et si les déclarations de Verdi lui-même étaient justifiées, on doit constater que la *Forza del Destino* est la dernière de ses grandes œuvres populaires, et que le succès que lui réserve, depuis sa création, le public toujours fidèle contraste singulièrement avec les jugements de la critique.

Sans doute pourrait-on croire que le premier accueil que reçut, en Russie, ce nouvel opéra devait son caractère triomphal autant à la personnalité du compositeur qu'aux qualités intrinsèques de l'œuvre elle-même. Mais les différentes reprises, à Rome, à Milan,

Verdi à Saint-Pétersbourg, 1862.

puis dans l'Italie entière, confirmèrent ce jugement. Et, de nos jours, si la France ignore généralement cet opéra, l'Allemagne aussi bien que l'Italie le portent aux nues. Mystère des jugements du public — auxquels on peut souscrire « de fait », sans pour cela approuver « de droit » un mélange étonnant de pages sublimes et de passages vulgaires qui gâchent une partition où les beautés abondent.

Verdi est assis frileusement près du cocher

Le voyage de Verdi en Russie, à l'occasion de la création, à Saint-Pétersbourg, de *La Force du Destin*, fut pour notre compositeur l'occasion de mesurer l'ampleur de sa gloire[1]. D'ailleurs, voulant mettre toutes les chances de son côté — et pouvant, grâce à son renom, se le permettre — il refusa de donner son opéra lors d'un premier voyage, la troupe ne correspondant point à ses exigences. Ce n'est que pendant un second voyage, le 10 novembre 1862, que sera créée *La Forza del Destino*.

---

1. Une lettre célèbre de Giuseppina nous montre à quel point certaines exigences de confort tenaient à cœur à Verdi, puisqu'elle nous précise que ce dernier, dans son voyage en Russie, emmenait avec lui 100 bouteilles de bordeaux ordinaire, 20 bouteilles de bordeaux « fino » et 20 bouteilles de champagne...

GALLERIA DEL MONDO ARTISTICO

TERZIANI

STOLZ

BENZA

COLONNESE

TIBERINI

ROTA

JUNCA

GLI ESECUTORI DELLA FORZA DEL DESTINO ALLA SCALA

Entre temps, les organisateurs de l'Exposition universelle de Londres lui avaient commandé un de ces travaux devant lesquels Verdi avait jusqu'alors toujours reculé. Il s'agit d'écrire un hymne, et de représenter par là l'Italie dans un concert international où Auber, Meyerbeer et Sterndale-Bennet représenteront la France, l'Allemagne et l'Angleterre. Pour une fois, son orgueil national ayant été chatouillé, Verdi ne croit point pouvoir refuser. Son œuvre — qui finalement ne fut pas donnée immédiatement pour des raisons de cabale intérieure, — fut composée sur les vers d'un jeune poète, également musicien, membre de cette fameuse « Scapigliatura » milanaise qui faisait figure d'« intelligentzia » italienne, Arrigo Boïto. Ce sera le début fortuit d'une amitié à long terme, qui fournira à Verdi et à Boïto plusieurs fécondes occasions de collaborer. Cet *Hymne des Nations*, où se mêlaient, en un contrepoint hardi, le « God Save the Queen », la « Marseillaise » et l'Hymne de Mameli, voulait être un cri de liberté, une glorification des peuples libres d'Europe. Il ne semble point qu'il ait ajouté grand-chose à la gloire de Verdi, si l'on en juge par les critiques qui l'accueillirent. Toujours est-il qu'il représente la dernière manifestation déclarée du patriotisme de Verdi ; l'Italie, d'ailleurs, était pratiquement « faite » : il ne lui manquait plus que Rome. Et Verdi, comme ses compatriotes, sortait enfin de cette période de fermentation politique où son simple nom servait de drapeau. Désormais, les considérations extra-musicales n'auront pratiquement plus de place dans ses œuvres.

La Force du Destin, si elle constitue le dernier grand opéra vraiment populaire de Verdi, au sens où l'avaient été le *Trouvère* ou *Rigoletto,* ouvre en même temps une nouvelle période, — la seconde de la vie artistique de Verdi, si l'on veut simplifier à l'extrême le déroulement de cette dernière. Jusqu'à sa mort, en effet, notre compositeur aura enfin le loisir de se faire désormais de son métier une image un peu différente de celle qui s'était imposée à lui depuis le début de sa carrière. Bien des éléments nouveaux vont entrer en ligne de compte dans cette attitude.

Le premier, sans doute, est que Verdi ne « court » plus après les commandes. Il attend patiemment qu'elles viennent à lui, et se donne le luxe de choisir ce qui convient le mieux à son talent. La richesse — bien mieux que l'aisance — est venue à la suite d'un travail opiniâtre et souvent difficile. En même temps, le goût de Verdi s'est affiné. Mais l'un ne va pas sans l'autre. C'est cette aisance, cette richesse enfin atteintes qui permettent à Verdi de se donner le loisir de réfléchir sur son art. C'est cette richesse même qui le « police ». Il y a, de toute évidence, une influence énorme de cette promotion sociale qu'a subie Verdi sur son évolution artistique.

« *La Force du Destin* » (*Carlo Ferrario*).

Le paysan des Roncole s'est affiné, parce qu'il a gagné de l'argent, et que son « rang », dans la société, ne peut plus s'accorder avec des manières trop rugueuses, et un goût trop simple. Il va se servir à lui-même d'ancêtre ; il va, en accédant à la fortune et aux honneurs, faire les progrès nécessaires sur le plan intérieur. Son goût ne sera plus le même ; il va apprendre à réfléchir, et à contrôler un instinct qui, jusque-là, était le seul « régulateur » de son génie. Bien entendu, tout cela a commencé depuis longtemps, et va continuer. Mais c'est à l'époque de *La Force du Destin* que l'on commence vraiment à voir que Verdi n'est pas seulement une « bête à musique ». Sa correspondance va nous faire comprendre qu'un autre Verdi est devenu adulte, un Verdi qui prend conscience des problèmes de tout compositeur. C'est que, aux environs de 1860, le climat musical n'est plus celui qui régnait à l'époque de *Nabucco*. Des influences diverses, pour la plupart étrangères, vont jouer, qui forceront Verdi, comme tous ses collègues, à réviser certaines notions jusque-là inébranlables.

Il y a — et c'est là, pour beaucoup, la pierre d'achoppement de l'évolution de Verdi — le « cas » Wagner, dont, depuis quelques années, les œuvres commencent à faire leur tour d'Europe, et dont les écrits théoriques renforcent l'action sur les jeunes musiciens. Il y a — et il ne faut nullement la minimiser — l'influence caractéristique de certaines œuvres étrangères, comme notre « Faust », qui, à lui tout seul, opéra une petite révolution dans l'histoire du théâtre lyrique.

Il y a les exigences des opéras nationaux, en particulier celles des œuvres représentées à l'Opéra de Paris, où cinq actes, des ballets et une fastueuse mise en scène sont inséparables de toute œuvre montée sur ce plateau.

Il y a surtout la naissance d'un esprit nouveau chez les jeunes musiciens italiens. Nous avons parlé d'Arrigo Boïto au sujet de l'*Hymne des Nations* de Verdi. Il faisait partie, avec son ami Franco Faccio, de ce petit nombre de musiciens jeunes, très cultivés, pour lesquels l'avenir de la musique italienne n'était pas seulement dans le théâtre lyrique, et pour lesquels les progrès musicaux devaient se faire conjointement sur le plan dramatique et sur celui de la musique de chambre. Il s'agit là à la fois d'un besoin de ces jeunes compositeurs et d'un nouveau snobisme. Dans un pays aussi « lyrique » que l'Italie, c'était en effet une gageure que de préconiser la musique de chambre telle qu'on la pratiquait en Allemagne ou en Autriche. Inutile de préciser que Verdi ne ménagea pas ses sarcasmes à l'égard de tous ces « jeunes Turcs » de la musique, qui, à son avis, allaient si manifestement à l'encontre de tout un passé national qu'il résumait dans un seul mot : l'*italianità*.

Mais, inconsciemment d'abord, consciemment bientôt, Verdi va subir l'influence de ces nouvelles tendances. Lui qui affirmait à tout venant qu'il ne lisait jamais de musique va se tenir extrêmement au courant de toutes les nouveautés. Et, en réfléchissant sur l'avenir de son art, il va être amené à en modifier assurément l'orientation. A partir de *La Force du Destin*, on pourra à juste titre relever dans ses grandes œuvres — qui d'ailleurs lui demanderont beaucoup plus de temps que leurs aînées, et seront bien plus « travaillées » — des traces précises d'influences toujours inavouées, mais évidentes. Il est d'ailleurs touchant de voir cet homme, parvenu au faîte de la gloire, chercher à comprendre, et à assimiler, des tournures d'esprit ou des attitudes aussi radicalement opposées à son propre tempérament. Cet homme mûr, qui déjà s'avance vers la vieillesse, s'inquiète de ce que ses jeunes contemporains considèrent comme la vérité ; et, même s'il ne l'avoue pas explicitement, il va chercher à orienter sa propre vérité vers ces autres vérités, qui sont peut-être aussi authentiques que la sienne. Cette humilité fière, cette bonne volonté masquée souvent par une raideur presque militaire sont caractéristiques de Verdi.

Mais ce dernier ne peut pas, tel qu'il est, proclamer ouvertement la confiance qu'il met, au fond de lui-même, dans les jeunes générations qui cherchent à détruire un ordre qu'il a plus que tout autre contribué à établir. Les élans qui le poussent vers ses joyeux émules ne peuvent qu'être contrecarrés par la légende même qui s'attache à sa propre figure. Son caractère, quels que soient les effets de la politesse et du raffinement, est resté très entier, très sec. Verdi est toujours sur ses gardes dès que l'on prononce devant lui le nom de l'un de ses collègues, même parmi les plus grands. Pour ne pas avoir, vis-à-vis de lui, pris des « formes » assez grandes, maint comité qui cherchait à honorer Rossini, par exemple, s'est heurté à un refus sec de la part de Verdi. Ayant été nommé après l'illustre Mercadante dans le comité destiné à glorifier Guido d'Arezzo, il se vexe et se retire sous sa tente. Il ne proclamera donc point qu'il a évolué, et que maintenant l'opéra lui semble devoir s'enrichir sur des plans qui lui étaient jusque-là inconnus. Mais son attitude va se ressentir profondément des nouveaux courants musicaux qui l'entourent. En particulier, lui qui, maintenant, peut consacrer plus de temps à chacune de ses œuvres, va soigner particulièrement deux aspects de ses futurs opéras : l'instrumentation et l'harmonisation. On sait que, depuis *Nabucco*, son orchestration avait fait des progrès considérables et que son instinct harmonique s'était amplement enrichi. Verdi, — et en cela l'exemple des étrangers a porté ses fruits, — s'achemine vers une formule d'opéra total, complet.

A ce sujet, on a beaucoup insisté sur l'influence de Wagner, et il est évident que les conquêtes de ce dernier ont étonné plus d'une fois Verdi. Mais lui qui habitait beaucoup Paris, qui assistait souvent aux représentations de notre Opéra national, a subi une influence incontestable, qui est celle du « Faust » de Gounod. De fait, ses prochains travaux, après *La Force du Destin*, seront d'abord un « remake » de son *Macbeth*, puis *Don Carlos*. L'une et l'autre œuvre est écrite, à Paris, pour l'Opéra de Paris. Son effort, dans son travail de « rajeunissement » sur *Macbeth* va porter — à part des remaniements scéniques — sur l'harmonisation et sur l'instrumentation ; *Don Carlos*, on va le voir, marquera chez Verdi un net pas en avant sur ces deux terrains ; c'est que la seule influence d'une œuvre comme « Faust » — dont pourtant l'esprit lui était parfaitement opposé — avait suffi à lui faire prendre conscience de l'importance que pouvaient revêtir, dans l'opéra moderne, les recherches harmoniques et orchestrales. Bien que Verdi ait toujours déclaré, avec un tout petit peu de mépris d'ailleurs, que Gounod était plus un musicien intime, un *mélodiste*, qu'un compositeur de théâtre, l'immense succès remporté par « Faust » n'avait pu que le faire réfléchir.

Verdi était jusque-là un musicien de théâtre ; il va, peu à peu, rechercher les satisfactions de la musique pour elle-même : c'est d'ailleurs ce passage qui explique que certaines partitions peuvent avoir un aspect quelque peu paradoxal. En effet, dans ce *Macbeth* refait qui sert de joint, pour nous, entre deux styles, la présence d'une partition écrite bien des années plus tôt rend plus flagrants encore aussi bien le travail effectué par l'auteur que l'hiatus qui sépare deux conceptions aussi différentes. Ce qui a nui à ce nouveau *Macbeth*, c'est cette sorte de déséquilibre qui ne pouvait pas ne point exister dans une entreprise aussi dangereuse du point de vue esthétique. Le 21 avril 1865, l'ouvrage, au Théâtre Lyrique de Paris, tombe, malgré un accueil respectueux du public. Et le caractère trop entier de Verdi — dont on sait que le tempérament s'accordait fort mal avec ce qui fait l'« esprit français » — fera retomber la faute de cet échec sur le théâtre lui-même, sur la mise en scène trop grandiose, sur le public de Paris ; et il aura un ton tout particulier pour déclarer, d'un air vexé : *Tout bien calculé, pesé et additionné, « Macbeth » est un fiasco. Amen. Cependant, j'avoue que je ne m'y attendais pas. Il me semblait que je n'avais pas trop mal fait — mais il paraît que j'avais tort.*

Il y aurait un livre entier à écrire sur les relations de Verdi avec la France. Tour à tour ébloui et apeuré, Verdi ne saura jamais très bien sur quel pied danser avec les Français. Leur esprit critique, leur légèreté, leur gouaille, leur cynisme libertin, qui battaient leur plein sous le Second Empire — où la France, on le sait, parvint à un équilibre économique et financier fort rare —, tout cela, qui fait le côté « mousseux » du caractère français, rebutait considérablement, en Verdi, le paysan émilien attaché à sa terre, à ses traditions, et à son travail. Bien sûr, un autre homme, en lui, savait apprécier le faste, le luxe, tout ce qui, dans une ville comme le Paris du baron Haussmann, n'existait que pour plaire et captiver. Mais ce Verdi-là, le Verdi des salons, des dîners aux Champs-Élysées, n'était pas le vrai Verdi. Notre compositeur n'a estimé le luxe nécessaire que dans la mesure où, comme on dit de nos jours, son « standing » personnel le demandait. Les signes extérieurs de la richesse n'avaient pour lui d'importance que pour montrer au monde que lui, Verdi, avait réussi, et bien réussi. Mais ils lui restaient étrangers. Il montait dans une calèche bien attelée sans y prendre personnellement plus de plaisir que dans sa charrette de Sant'Agata. Et les dîners que Giuseppina et lui offraient, toutes les semaines, dans leur appartement des Champs-Élysées, ne parvenaient point à le rapprocher d'un monde dont son bon sens terrien méprisait la frivolité.

Ajoutons à cela que, depuis l'expérience des *Vêpres Siciliennes*, il garde une « dent » contre la *grande boutique*, et que les belles paroles des directeurs ou des impresarii français ne lui font point oublier, loin de là, les difficultés qu'il a toujours rencontrées dans ce théâtre.

Et pourtant, il aimait Paris, ce Paris où s'était épanoui son amour pour sa chère « Peppina », où, dans la foule immense, il aimait à retrouver un incognito désormais impossible pour lui en Italie, et où son tempérament d'artiste était tout naturellement touché par tant de beauté accumulée. C'est pourquoi, pendant les années 1864 à 1867, il va habiter souvent notre capitale, faisant alterner les séjours à Paris et les séjours à Gênes, dont le climat lui convient particulièrement.

D'ailleurs, les commandes ne lui manquent point. Et il a accepté d'écrire, pour l'Opéra parisien, un *Don Carlos* qui sera sa deuxième œuvre véritablement française. On connaît les règles du jeu, et il est curieux de voir Verdi — qui n'aimait pas tellement notre Académie Nationale de Musique —

accepter d'écrire pour elle un ouvrage nouveau : il faut croire que sa vanité était tout de même flattée, et que l'échec de son *Macbeth* revu et corrigé réclamait une prompte revanche. Après avoir de nouveau envisagé un « Roi Lear » (qui décidément n'a pas eu de chance), puis une « Salammbô », Verdi choisit le drame de Schiller, et ce sont deux poètes français, Joseph Méry et Camille Du Locle, qui vont avoir à le mettre en livret [1]. On va reprocher, à juste titre, à ce livret sa prolixité. On la lui reprochera non pas « absolument » (car bien des compositeurs français ne s'en seraient pas trouvé mal) — mais « relativement » à un tempérament qui, comme celui de Verdi, s'accommodait de plus de sobriété. De plus, il est évident que Verdi va être gêné — comme pour les *Vêpres* — par le maniement d'une langue qui n'est point la sienne. Ensuite, le principe du grand opéra historique, on le sait, lui convenait assez peu. Les grandes mises en scène de l'Opéra de Paris, l'introduction de ballets plus ou moins gratuits dans l'action, le découpage lui-même (qui imposait cinq actes), autant de servitudes déplaisantes. Enfin, ce *Don Carlos* qui, le 11 mars 1867, va naître à Paris, souffre d'un vice fondamental. C'est que Verdi y fait ses premières armes, en quelque sorte, d' « harmoniste moderne ».

Jusque-là, la mélodie qui chantait en lui naissait d'un seul bloc, et, comme Minerve casquée de la tête de Jupiter, sortait de sa tête munie de son habillement harmonique — qui était évident. Il est certain, nous l'avons vu, que l'influence conjuguée de « Faust », de Wagner (qu'il connaît encore très mal) et de ses jeunes collègues italiens l'amène à accorder plus d'importance à l'harmonie. Désormais, et *Don Carlos* va faire le joint, cette dernière sera beaucoup plus travaillée que par le passé. Malheureusement, dans le cas de *Don Carlos*, tout se passe comme si la mélodie naissait *après* la contexture harmonique, comme si Verdi l'avait dégagée plus ou moins laborieusement de cette dernière.

Cette nouvelle attitude vis-à-vis de la ligne mélodique oblige évidemment Verdi à un effort contraire à sa nature. Le « renversement de vapeur » qu'elle présuppose — et qui sera définitivement acquis pour les œuvres suivantes — se produit exactement pour *Don Carlos*. Le souci harmonique y est permanent, et ne fait pas toujours très bon ménage avec l'élan mélodique qui continue à habiter tout naturelle-

_____

1. L'idée d'un « Don Carlos » remontait d'ailleurs à 1850.

ment Verdi. De temps à autre, le miracle se produit, et la courbe de la phrase chantée parvient à conserver une allure spontanée, jaillissante — comme dans les œuvres précédentes —, tout en s'accordant parfaitement avec une contexture harmonique dont la recherche est toute neuve dans le discours musical de Verdi. Malheureusement, cette longue patience qu'est le génie se fait trop sentir dans le reste de l'œuvre ; on sent Verdi trop embarrassé de cette richesse harmonique à laquelle il veut atteindre coûte que coûte ; avant même que de s'envoler, la mélodie est écrasée au départ sous un luxe inaccoutumé de sonorités nouvelles sous la plume d'un compositeur jusque-là si direct. Qu'on se rassure : la démarche de Verdi va retrouver rapidement son aisance souveraine, et ne sera plus entravée par un enrichissement harmonique qui va vite lui devenir aussi naturel que son inspiration mélodique. *Don Carlos* lui aura servi de banc d'essai, en quelque sorte, pour une formule qu'il adoptera définitivement.

Mais est-ce, comme on l'a prétendu, sous l'influence de Wagner que Verdi a accompli ce pas en avant ? Tout d'abord, précisons que, à l'époque de *Don Carlos*, Verdi ne connaît que très peu des œuvres musicales de Wagner — et que ce ne sera qu'en 1870 qu'il se fera envoyer par Du Locle ses écrits théoriques. Et puis, retenons avant tout que l'évolution qu'a subie Verdi est une évolution interne, en ce sens qu'elle intéresse, non pas la mise en œuvre d'un langage, mais ce langage lui-même — non pas les manifestations extérieures d'un style, mais ce style propre. On pourrait — sans avoir recours à des influences étrangères — trouver dans l'œuvre de Verdi d'avant 1860 les ferments nécessaires à l'éclosion de ce Verdi plus savant, plus recherché de *Don Carlos*. Mais nous avons déjà dit combien avaient pu l'influencer l'élégance, le raffinement (tout intimes d'ailleurs) du langage de Gounod.

Il n'est pas nécessaire, non plus, d'aller chercher Wagner et son parti pris pour expliquer une évolution qui trouvait en elle-même — et dans son cadre original — ses principales lignes de force. Que la renommée de Wagner ait un peu agacé Verdi, cela est sûr ; que notre compositeur ait trouvé chez son collègue allemand deux ou trois « trucs » de métier commodes (mais plus tard), cela est également certain ; mais que, de propos délibéré, Verdi ait décidé — comme on le lui a reproché en France même à l'occasion de *Don*

Carlos — d'imiter Wagner, cela est tellement invraisemblable que nous ne devrions même pas en parler. Malheureusement, les apôtres du wagnérisme faisaient (et font toujours) montre d'une telle intransigeance et d'un tel fanatisme qu'ils ne pouvaient admettre une réussite lyrique achevée — comme ce sera le cas pour *Aïda* ou *Otello* — sans y voir un effet, même indirect, du génie tout-puissant de leur dieu. Wagner et Verdi sont deux colonnes indiscutables de l'art lyrique romantique : il est naïf et imbécile de vouloir rabaisser l'un des deux au profit de l'autre.

Cette évolution de Verdi nous est claire, à nous qui jugeons avec un recul suffisant ; mais les contemporains ne pouvaient, sauf exception, comprendre où allait mener notre compositeur une « manière » quelque peu déroutante. Si l'on ajoute à cela la réserve du chauvinisme français vis-à-vis d'une œuvre italienne, les jalousies des collègues — et jusqu'à l'opposition déclarée de l'impératrice Eugénie, zélatrice de Wagner —, sans parler d'une exécution assez médiocre, on comprendra facilement les raisons d'un accueil incertain, qui blessa profondément Verdi, dont le génie connaissait ses propres exigences. A Paris, cependant, deux critiques (non musiciens de métier) prirent avec éclat, et avec courage aussi, la défense de ce *Don Carlos* dont ils avaient su deviner l'aspect prophétique. Il s'agit de Jules Claretie, et surtout de Théophile Gautier, dont l'instinct n'avait pas été mis en défaut, et qui écrivait : « A la première représentation, la musique de « Don Carlos » a surpris le public plus qu'elle ne l'a charmé ; la force dominatrice qui constitue le fond du génie de Verdi apparaît ici dans la puissante simplicité qui a rendu universellement populaire le nom du maître de Parme, mais soutenue par un déploiement extraordinaire de moyens harmoniques, de sonorités recherchées et de formes mélodiques nouvelles. »

Pour un contemporain, c'était là de la critique musicale remarquable...

Pour imposer ce *Don Carlos* aux foules, il faudra ce je ne sais quoi que seul un chef d'orchestre de génie peut ajouter à une œuvre théâtrale. Et c'est là qu'il nous faut parler d'un homme dont l'éclatante et brève destinée est en grande partie liée à celle de Verdi ; il s'agit d'Angelo Mariani. Il fut sans doute l'un des plus grands chefs d'orchestre italiens du xixe siècle, et il sut mettre son immense talent au service de grandes œuvres qu'il contribua plus que tout autre à imposer. Verdi avait une très grande confiance en lui, bien que son caractère s'accordât assez mal, au fond, avec l'impétuosité — et l'orgueil — de Mariani. Mais Verdi savait parfaitement reconnaître aussi bien la valeur de Mariani que le bénéfice que ses propres œuvres tiraient d'exécutions fulgurantes. Ainsi, le demi-succès de *Don Carlos* à Paris — qui était dû en partie à la mollesse de l'interprétation — fut racheté avec éclat par le triomphe que remporta, à Bologne, cette même partition confiée à la baguette de Mariani, qui sut mettre en valeur la beauté de l'ouvrage, et dont l'enthousiasme communicatif parvint à donner du relief aux parties moins bien venues. Ce triomphe bolonais marque l'apogée de l'amitié de Verdi et de Mariani. Cette belle et fructueuse entente devait être bientôt détruite par deux événements assez graves pour mettre en péril un sentiment aussi vrai — deux événements d'ailleurs intimement liés. Il s'agit d'abord de la volte-face opérée par Mariani, qui devint du jour au lendemain — et cela au détriment de Verdi — le défenseur et le champion numéro un de Wagner en Italie. Il faut dire que, toutes considérations purement musicales mises à part, Verdi supportait mal les succès personnels que Mariani se taillait en dirigeant ses œuvres, et au besoin en modifiant çà ou là les volontés expresses de l'auteur, pour faire plus d'effet sur le public. Wagner, au contraire, qui cherchait à conquérir ce terrain fermé que constituait pour lui l'Italie, avait tout intérêt à accepter Mariani tel qu'il était, et à flatter sa vanité d'interprète. De plus, Mariani rencontrait autant de succès dans son interprétation de Wagner que dans les œuvres de Verdi : il profitait même du snobisme tout neuf dont jouissait en Italie le maître allemand.

Mais une autre raison est à la base du dissentiment entre Verdi et Mariani. Ce dernier en effet était depuis quelques années l'amant passionné et exclusif d'une cantatrice de très grand talent, Teresa Stolz — l'un des derniers « monstres sacrés » de la scène lyrique. Du jour où la Stolz eut à chanter des œuvres de Verdi, dont le caractère s'accordait parfaitement à son tempérament, peu à peu son amour pour Mariani pâlit, au profit d'une admiration passionnée pour le compositeur. Peu nous importe de savoir jusqu'où allèrent ses relations avec Verdi. Toujours est-il qu'après quelques années d'une amitié sans nuages — où, au Palazzo Sauli de Gênes, les deux ménages habitaient porte à porte sur un même palier — Mariani prit ombrage des sentiments

LE HANNETO

ILLUSTRÉ, SATIRIQUE ET LITTÉRAIRE

Bureaux : Rue de Trévise, 37 — **PARAISSANT LE JEUDI** — Bureaux : Rue de Trévise

	PARIS	DÉPARTEMENTS
Un an	5 fr. »	6 fr. »
Six mois	3 »	3 50
Trois mois	1 50	2 »

IL MAËSTRO VERDI, PAR GÉDÉON

de la Stolz pour Verdi, et que, séparé de sa maîtresse, il allait, malgré les succès que lui apportait Wagner, dépérir progressivement, et s'éteindre en 1873. Il est certain, en tout cas, que l'attitude de Verdi dans cette affaire fut pour beaucoup dans l'ultime orientation de la destinée de Mariani, qui, tout d'une pièce et enthousiaste comme il était, souffrit considérablement de la trahison de la Stolz (qui ne fut pas d'une élégance parfaite en l'occurrence) et de l'éloignement de Verdi, auquel il demanda sans succès des explications.

Wagner

Aïda

usque-là, les œuvres de Verdi sont assez nombreuses et assez fréquentes pour jalonner régulièrement le cours d'une existence entièrement dédiée à son art. Après *Don Carlos*, les œuvres vont s'espacer. C'est que l'opéra moderne — œuvre « totale » — est en train de naître, et qu'on n'écrit pas aussi rapidement « Wozzeck » que le « Barbier ». Toutes choses étant égales d'ailleurs, c'est un peu ce qui va arriver à l'intérieur même de l'évolution de Verdi. On n'écrit pas *Otello* aussi rapidement, ni avec autant de désinvolture qu'*Ernani* ou même *Trovatore*. Des problèmes nouveaux, dont nous avons parlé à propos de *Don Carlos*, se posent, dont la solution demande du temps, de la réflexion. Verdi sait fort bien qu'il lui appartient de jeter les bases d'un théâtre lyrique plus complet, plus riche, plus parfait que celui dont

Verdi par Boldini, 1888.

Verdi, Bellini, Donizetti et Rossini
(les « onori marmorei » de la Scala).

il avait reçu l'héritage des mains de Bellini et de Donizetti. Toute l'histoire de ses œuvres est celle d'un progrès continu vers une expression plus définitive, vers un art plus raffiné, mais dans lequel la recherche n'étouffe jamais l'élan instinctif. Quant à Wagner, Verdi travaillera à contrebalancer en Italie l'influence étrangère personnifiée par l'auteur de la Walkyrie ; il cherchera à rester, malgré l'âge, le compositeur italien par excellence, le musicien « national ». Et cette émulation sera sans aucun doute à l'origine de l'épanouissement ultime de son génie.

Et puis, on ne soulignera jamais assez que les dernières œuvres de Verdi sont conditionnées par les progrès de leur auteur sur le plan purement extérieur : ce qu'on pourrait appeler la « politesse ». Verdi, au contact des élites qui le fêtent et le reçoivent — en raison aussi de ce « standing » social auquel il tient comme preuve éclatante de sa réussite matérielle — s'est raffiné, a épuré son goût. Il prend de plus en plus conscience de ce que réclame l'avenir de son art — toutes choses dont seul son instinct, jusque-là, avait pu l'avertir. C'est maintenant que, pour étayer ses propres recherches, il va demander des points de repère aux œuvres de ses collègues. C'est maintenant — mais maintenant seulement — qu'il va chercher dans Wagner la trace de ses propres angoisses, de ses propres problèmes. Bien plutôt qu'un exemple à suivre, Wagner sera pour lui un élément de comparaison. Verdi était beaucoup trop profondément persuadé de la force impérieuse des caractéristiques nationales de l'art pour songer un seul instant à imiter, ne serait-ce qu'en passant, un compositeur aussi spécifiquement allemand que Wagner, dont ce qu'il appelait le *germanesimo* faisait, selon lui, courir les plus grands risques à la musique italienne.

Quoi qu'il en soit, Verdi désormais va prendre tout son temps avant de donner une œuvre nouvelle. Les précédentes sont assez nombreuses pour alimenter régulièrement une popularité qui fait de lui le grand homme de l'Italie. A ce propos, signalons que c'est en 1868, le 30 juin, que se place la première rencontre entre les deux gloires de l'Italie, entre Verdi et l'auteur des « Promessi Sposi », Alessandro Manzoni, pour lequel notre compositeur professait une admiration et une vénération immenses. C'est également en 1868, le 13 novembre, que meurt, à Passy, Rossini. La disparition du dernier des trois « Grands » de la première moitié du XIXe siècle fait de Verdi le chef incontesté de l'École italienne. Il veut marquer cette sorte de prise de pouvoir en étant le promoteur d'un hommage collectif des compositeurs italiens à Rossini, sous forme d'une *Messe* écrite par plusieurs d'entre eux, et dont lui-même se réserve le « Libera me ». Cette initiative ne parviendra d'ailleurs point à son ultime aboutissement, à cause de l'abîme qui va se creuser chaque jour davantage entre Verdi et Mariani, qui aurait dû en assurer l'exécution, et contre lequel Verdi imposera son « veto » formel.

Entre-temps, Verdi lit bien des livrets, bien des pièces ; maintenant qu'il peut se donner le luxe de choisir son théâtre et son argument, il n'ose plus, semble-t-il, se décider. En tout cas, il est sûr de ne plus rien donner à l'Opéra parisien, dont la préparation et l'exécution de *Don Carlos* l'ont définitivement dégoûté. Ce sera pourtant son coauteur pour *Don Carlos*, Camille Du Locle, qui va lui donner l'occasion de se remettre au travail.

En 1870, en effet, Du Locle fait parvenir à Verdi, parmi plusieurs éventuels sujets de livrets, quatre petites pages constituant un « scénario » égyptien original. Et c'est le coup de foudre pour Verdi, qui « sent » immédiatement la couleur de l'ouvrage et son allure générale. Le thème lui-même a été de toutes pièces inventé par l'égyptologue français Mariette, qui dirige les fouilles à Thèbes. Sur ce thème primitif, qui fait revivre l'antique Égypte des Pharaons, Du Locle a un peu brodé, et ce qu'il a présenté à Verdi est un scénario parfaitement construit, où se sent la main de l'auteur dramatique. L'année 1870 va être tout entière consacrée à la création de cette *Aïda*, pour laquelle, outre

Mariette et Du Locle, Verdi fera appel à un librettiste italien, Ghislanzoni. Il faut dire que les circonstances dans lesquelles doit être créé cet opéra sont assez particulières, et réclament tous les soins de Verdi. Il s'agit en effet d'une œuvre originale écrite pour le tout nouveau Théâtre Italien du Caire, et qui doit y être montée pour célébrer, quoique avec un peu de retard, l'ouverture du canal de Suez !

L'honneur ainsi réservé à Verdi est immense, puisqu'il le place au-dessus de tous ses collègues européens ; les conditions financières sont plus que satisfaisantes et Verdi est assuré que tout sera mis en œuvre pour donner le plus d'éclat possible à cette création. A l'origine, *Aïda* devait être montée au Caire en janvier 1871 ; et Verdi s'était engagé à livrer sa partition définitive en décembre 1870. Il remplit scrupuleusement ses engagements, mais la guerre franco-allemande va retarder la naissance d'*Aïda* d'une façon assez imprévue. En effet, et afin de mettre de son côté tous les atouts, Verdi avait demandé à Mariette de s'occuper entièrement des décors et des costumes d'*Aïda* : toutes les précautions archéologiques étaient ainsi prises. Malheureusement, Mariette et ses collaborateurs, les peintres français Chaperon, Rubé et Despléchin, sont enfermés dans la capitale française assiégée, et il n'est pas question de tenter une « sortie » pour les décors et les costumes d'*Aïda*. A ce propos, on sait combien Verdi, tout en sentant tout le charme de Paris, et tout ce qui fait « l'esprit » français, avait pu être incommodé, écœuré par certaines manifestations d'un chauvinisme qui, à travers ses propres œuvres, voulait frapper toutes les Écoles étrangères à la France. Le parti pris des critiques français, les lenteurs de la *grande boutique*, les cancans des salons, l'hostilité de ses collègues parisiens, tout cela n'était pas fait pour le rendre indulgent envers notre pays. Mais Verdi n'oubliait pas l'aide apportée par la France à l'unité italienne. Il n'oubliait pas non plus quelles merveilleuses journées il avait jadis passées dans un Paris où il avait le loisir d'être un homme parmi tant d'autres — ni quel avait été son bonheur avec Giuseppina Strepponi, à l'aube de leur amour, sur les bords de la Seine. Cette fidélité — jointe à un sens profond et intransigeant de la justice — lui fit prendre énergiquement la défense de la France dans les jours sombres de Sedan et de la Commune.

Toujours est-il que les malheurs de la France ont leur répercussion sur *Aïda,* et que la représentation du Caire est reculée jusqu'à ce qu'il soit possible de faire venir de Paris costumes et décors. C'est à ce moment que Verdi, à la mort du célèbre Mercadante, est pressenti pour prendre la succession de ce dernier à la tête du célèbre conservatoire napolitain de San-Pietro a Maiella. Dans sa lettre de réponse, par laquelle il décline fort courtoisement l'honneur qui lui est ainsi fait, Verdi donne quelques conseils sur l'enseignement de la musique. Cette lettre célèbre, dont nous donnons de grands extraits à la fin de ce volume, constitue une profession de foi vigoureuse en faveur de l'étude de la fugue, du contrepoint et de la musique ancienne. C'est en étudiant de près les auteurs du passé, de Palestrina à Marcello, qu'on peut se forger un « métier » sûr. Il est curieux de voir Verdi conscient de la nécessité d'études serrées que lui-même n'avait pu entièrement accomplir ; il veut faire profiter ses jeunes concitoyens de son expérience, leur éviter d'avoir à faire trop tard ce qu'ils peuvent faire dans leur adolescence. Leur originalité saura toujours se dégager à temps : il faut avant tout étudier les maîtres. Et c'est le sens, souvent faussé par des interprétations maladroites, de la phrase célèbre qui termine la lettre : *Torniamo all'antico : sarà un progresso,* que l'on peut traduire par : *Retournons aux anciens : ce sera un progrès.*

Bientôt enfin, le surintendant des théâtres du Khédive, Draveth Bey, annonce à Verdi que *Aïda* va pouvoir être représentée. De cette façon, *Aïda* sera créée au Caire et presque aussitôt redonnée à Milan, à la Scala. Une excellente exécution, avec le chef d'orchestre Bottesini, un « plateau » remarquable, assurent, à la veille de Noël 1871, le triomphe d'*Aïda* au Caire. Mariette lui-même avait surveillé la mise en scène. Devant un public international, devant des critiques venus du monde entier, la nouvelle œuvre de Verdi vient donner la preuve de la jeunesse toujours renouvelée de son auteur. L'évolution déjà constatée dans *Don Carlos* se poursuit normalement, logiquement. Mais *Don Carlos* se ressentait de la gêne qu'éprouvait Verdi à « soigner » l'harmonie et l'orchestre autant que la ligne vocale ou que les ressorts dramatiques. Avec *Aïda*, il a retrouvé son équilibre. Malgré l'enrichissement harmonique, malgré une recherche de couleur instrumentale encore toute nouvelle chez lui — malgré aussi un souci permanent de « couleur locale » transposée — Verdi reste naturel. Ses mélodies prennent leur vol avec autant de simplicité que dans *Traviata* ; mais le discours

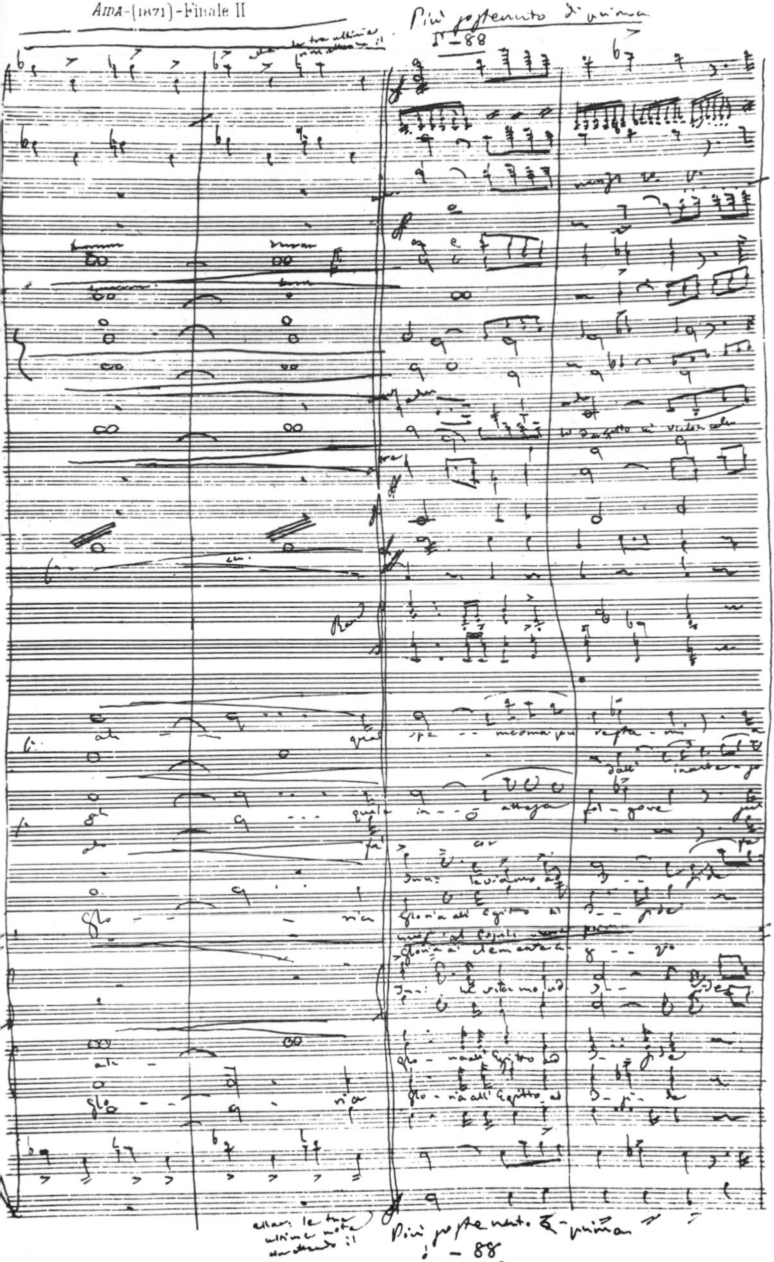

Caricatures autour d' « Aïda »,
où on reconnaît Verdi mêlé à ses héros.

Maquette de Chaperon pour « Aïda », 1901.

musical s'est considérablement serré ; l'écriture est beaucoup
plus raffinée ; il s'amuse à utiliser un contrepoint ramassé
qui lui était jusqu'alors étranger. Quant à la forme elle-même,
avec la disparition complète du récitatif, Verdi s'achemine
vers cet « opéra complet » qu'il réussira avec *Otello*. L'orchestre, au lieu d'accompagner passivement le chant, prend
la parole pour lui-même, dialogue avec les chanteurs. Reyer,
le critique envoyé au Caire par les « Débats », dit avec jus-
tesse qu'un nouveau Verdi s'y manifeste, « mettant parfois
la statue dans l'orchestre et laissant le *piédestal sur la scène* ».

L'artiste, les artisans, et leur public.

De là à accuser Verdi du plus complet wagnérisme, il n'y avait qu'un pas, que la plupart des critiques, mêmes les plus élogieux, franchirent immédiatement ; on peut même dire que le fait de constater que Verdi suivait enfin la leçon de Wagner constituait pour eux le plus beau des éloges. Or, la différence fondamentale qui existait entre Verdi et Wagner subsiste toujours aussi grande ; leurs deux conceptions de l'art sont inconciliables, et le seront toujours. La part plus belle laissée, dans *Aïda*, par Verdi à l'orchestre ne veut nullement dire que son opéra devienne « symphonique » comme l'est celui de son collègue allemand ; il reste avant tout lyrique et vocal, et cette seule constatation suffit à creuser un abîme, que rien ne comblera jamais, entre les deux compositeurs.

Quoi qu'il en soit, le triomphe du Caire ouvre à *Aïda* une éblouissante carrière. Dès le 8 février 1872, l'œuvre est créée à la Scala de Milan, avec la Stolz dans le rôle principal — le 20 avril, c'est à Parme qu'elle est donnée : c'est le tour de l'Italie, puis celui de l'Europe, qui commence. Verdi va pouvoir songer tranquillement à son prochain ouvrage.

Teresa Stolz

Ce sont souvent les circonstances les plus imprévues qui font naître certaines œuvres. Après le Caire, après Milan, après Parme, d'autres villes d'Italie réclament *Aïda*. En particulier, le San Carlo de Naples voudrait monter successivement, sous la haute surveillance du compositeur lui-même, son *Don Carlos* et son *Aïda*. Verdi abandonne donc Sant'Agata et va s'intalller, à la fin de 1872, à Naples. En décembre, *Don Carlos* est donné avec un plein succès, et on commence aussitôt, dès les premiers jours de 1873, les répétitions d'*Aïda*. Malheureusement, la Stolz, qui est de plus en plus attachée à Verdi, et qui chantait déjà le premier rôle féminin du *Don Carlos*, tombe malade au moment de répéter *Aïda*. On doit donc interrompre à la fois les représentations de *Don Carlos* et les répétitions d'*Aïda*. Verdi, obligé de rester à Naples sans pouvoir travailler au théâtre, fait contre mauvaise fortune bon cœur, et se met à écrire un quatuor à cordes. Il se jette dans cette tâche moins pour laisser une œuvre importante que pour se « faire la main » dans un domaine qui n'est pas précisément le sien. La « musique pure », sans doute, faisait à l'époque de constants progrès en Italie, où les sociétés de musique de chambre se multipliaient. Mais ce n'est point pour suivre cette mode d'origine étrangère que Verdi écrit son quatuor ; les innombrables manuscrits conservés à Sant'Agata — et jusqu'à maintenant inédits — nous montrent que Verdi ne restait jamais inactif, et qu'entre la composition de deux opéras, il se forçait à écrire des pièces d'inspiration toute scolastique, afin de rendre sa main encore plus sûre. Il achevait ainsi, dans son âge mûr, les études que, dans sa jeunesse, il n'avait peut-être pas pu mener à bien ; ainsi se sont accumulés les madrigaux à trois, à quatre ou à cinq voix, où Verdi recherche la pureté du style polyphonique et du contrepoint. En même temps, il lisait avec soin les quatuors à cordes de Haydn, de Mozart et de Beethoven. Il n'est donc nullement étonnant qu'il se soit amusé à tenter d'écrire, lui aussi, pour les quatre instruments. Le quatuor qu'il écrivit, pendant les trois semaines que lui laissait la maladie de la Stolz, fut exécuté, par quatre amis, chez Verdi lui-même, le 1er avril 1873. Il serait aussi vain d'en faire un chef-d'œuvre que de le rabaisser à tout prix. Il prouve sans doute que Verdi, même dans le domaine de la musique de chambre, restait un musicien dramatique, et que son lyrisme naturel s'accommodait assez mal des contraintes de l'écriture à quatre ins-

truments. Il prouve sans doute aussi que Verdi, s'il était
« moderne » lorsqu'il écrivait pour le théâtre, tout d'un coup
retardait de presque un siècle lorsqu'il écrivait un quatuor,
et que son inspiration, dès lors, se coulait heureusement dans
les moules créés par Haydn ou Mozart. Mais il n'en reste
pas moins fort agréable à entendre, et si l'on peut sourire
de la gêne certaine qu'éprouve Verdi à plier son génie aux
impératifs de la fugue dans le dernier mouvement, on ne
doit nullement bouder un plaisir évident — ni d'ailleurs
chercher à donner à cette œuvre plus d'importance que ne
lui en accorda Verdi lui-même.

Le destin, bientôt, allait lui offrir l'occasion de laisser
plus librement s'exprimer son génie, dans un domaine pourtant tout aussi différent de l'opéra. Verdi, aussitôt après
la première d'*Aïda* à Naples, était rentré à Sant'Agata.
Le 22 mai 1873, meurt, après quelques mois où son esprit
avait oscillé lamentablement, le plus grand écrivain italien
du siècle, Manzoni, celui pour lequel Verdi, comme tous ses
compatriotes, avait la plus grande vénération, et qu'il appelait *le Saint*. Aussitôt, Verdi propose à la municipalité de
Milan d'écrire une *Messe de Requiem* destinée à être exécutée
au premier anniversaire de la disparition de Manzoni.

L'offre ayant été acceptée d'enthousiasme, Verdi eut
d'autant moins de mal à remplir ses engagements que l'œu-

A. MANZONI   G. VERDI

In occasione della Messa funebre dedicata dal M. G. Verdi
ad A. Manzoni

vre était — sans but défini — en chantier depuis quelques années. Ce *Requiem* lui permet de donner la pleine mesure de son talent dans une œuvre « sérieuse ». Lui-même, en souriant, déclarait : *Il me semble que je suis devenu quelqu'un de sérieux, et que je ne suis plus un batteur d'estrade, qui crie au public : « Entrez, entrez, Mesdames et Messieurs !... » en tapant sur une grosse caisse...*

Il a enfin le moyen de s'élever encore au-dessus de toutes ses œuvres précédentes, et de montrer à ses auditeurs qu'il est le digne et véritable continuateur de tous ceux qui, dans les siècles passés, ont fait la grandeur de l'école polyphonique italienne ; il entend infliger le plus flagrant démenti à ceux qui ne voient en lui qu'un musicien de théâtre, en donnant à ce terme le sens le plus péjoratif — au moment même où l'Italie se laisse envahir par la musique étrangère — surtout germanique —, et où les « intellectuels » et les esthètes font une grimace de dégoût devant les productions lyriques nées en Italie. Pris au dépourvu par tout ce que révèle de science et d'habileté une œuvre comme ce *Requiem*, où Verdi se meut dans la polyphonie la plus serrée avec autant d'aisance que sur une scène, les adversaires de notre musicien feindront de ne voir dans cette « Messe » que du théâtre transposé. Le ton leur sera donné par le chef d'orchestre allemand Hans de Bülow, qui était, en quelque sorte, à la tête des troupes d'invasion allemandes en Italie, et qui, ulcéré de l'opposition que lui avait faite Verdi lorsqu'il prétendait, quoique étranger, être nommé directeur du Conservatoire de Milan, attaque, avant et après la « première » de ce *Requiem* à San Marco de Milan, l'œuvre de Verdi, « omnipotent corrupteur du goût artistique italien ». Mais la majorité des critiques — et l'ensemble du public — surent apprécier la qualité supérieure de l'œuvre, et cette souveraine aisance avec laquelle celui qui, dès *Nabucco*, avait été proclamé le « père des chœurs » manie les formes les plus complexes et les plus hautes de l'écriture chorale. Il est évident que le Dieu de Verdi est un Dieu plus terrible que celui de Fauré, et le lyrisme de notre compositeur prend quelquefois des teintes théâtrales ; mais l'auteur du *Trouvère* et d'*Aïda* n'allait point, du jour au lendemain, renier son style — et il est certain que la messe catholique est un « drame », au sens propre du terme ; que Verdi l'ait traitée comme un drame supérieur n'est pas plus choquant que lorsque, dans ses Passions, Bach nous fait revivre les derniers moments du Christ.

Faccio

Pantaleoni

Navarrini

Tamagno

Maurel

OTELLO

Lit. L. Ronchi

L'opéra total

e *quatuor à cordes*, la *Messe de Requiem*, tout cela nous a bien éloignés du théâtre ; et, de fait, Verdi, après le triomphe d'*Aïda*, semble avoir cherché à rendre plus indiscutable sa gloire en lui donnant des assises sur tous les plans. Mais, maintenant qu'il a prouvé sa suprématie en dehors même du domaine théâtral, il n'a pas l'air pressé de revenir à l'opéra. En fait, l'histoire de sa vie, pendant les dix années qui vont suivre le *Requiem*, sont entièrement occupées par les efforts dépensés par ses amis pour le persuader de se remettre à composer un opéra, et par la composition de ce dernier. Mais que de travaux d'approche en apparence inutiles ! Parvenu au seuil de la vieillesse, et possédant, avec une renommée universelle, une fortune plus que solide, Verdi, semble-t-il, ne sent plus le besoin de composer. Son œuvre

Carte postale en l'honneur d' « Otello ».

passée lui suffit. Il va se contenter, comme il a toujours fait, de la faire fructifier, et par là même de constater combien son renom est grand dans tous les pays. Ce sera d'abord le *Requiem* qui va lui permettre de voyager dans toute l'Europe ; en effet, il va organiser des sortes de « tournées », au cours desquelles il va diriger sa *Messe* dans de nombreuses villes. Le succès remporté partout est énorme ; il doit promettre de revenir, organiser de nouvelles tournées, qui l'emmènent à Paris, à Vienne, à Londres, à Berlin. Entre-temps, il est nommé sénateur du royaume d'Italie, commandeur de la Légion d'Honneur à Paris ; il achète des œuvres d'art destinées à orner sa maison de Sant'Agata (à ce sujet, on notera que son goût en peinture était moins sûr que son goût littéraire...) ; il vit bien, et même avec un certain faste ; sans doute, à Sant'Agata, est-il le paysan parvenu qu'il se glorifie d'être, mettant en valeur ses terres, s'occupant de ses fermes, de son bétail et de ses cultures ; mais, lorsque vient l'hiver, il s'installe à Gênes, où il loue maintenant un étage du Palazzo Doria, et où il mène une existence de grand seigneur ; toujours admirablement habillé, toujours parfaitement soigné, Verdi aime à s'entourer d'un confort recherché ; sa table est excellente, et il a à son service une domesticité nombreuse ; il est le maître incontesté de l'École italienne, et il joue son rôle avec dignité et un peu d'ostentation. Ami très sûr, quoique irritable et susceptible, il est d'un abord assez froid et sévère ; il ne se laisse pas approcher très facilement, et sa correspondance abonde en courtes lettres qui sont, pour ses correspondants, de véritables leçons de courtoisie. Il tient à garder toujours ses distances vis-à-vis des inconnus, et ne parle jamais pour ne rien dire ; la parole de Verdi, on le sait partout, est la plus sûre des garanties. Aussi bien ne s'engage-t-il que lorsqu'il est certain de pouvoir tenir ses promesses. On va le voir pendant ces longues années, où, à part quelques travaux secondaires (comme un *Pater Noster* et un *Ave Maria*, d'après Dante, exécutés en 1880), il recule le moment de se remettre à un ouvrage lyrique. Sans doute estime-t-il que la somme de ses œuvres passées peut lui permettre d'attendre tranquillement ; sans doute les vides creusés par la mort de certains de ses amis le rendent-ils un peu plus sauvage, un peu plus lointain ; sans doute les lauriers qui lui sont offerts partout où il passe suffisent-ils à son ambition ; et lorsque, à Paris, *Aïda* sera donnée pour la première fois à l'Opéra, en 1880, Verdi, promu grand officier de la Légion

d'Honneur par Jules Grévy et décoré au cours d'un grand
repas donné en son honneur à l'Élysée, peut s'estimer satis-
fait du chemin parcouru depuis les Roncole. Mais, dans ce
manque de hâte qu'il marque à se remettre au travail, il y a
sans doute une petite part de « trac »... Verdi ne peut plus se
donner le luxe de décevoir ses admirateurs, et encore moins
d'essuyer un « fiasco » pour une œuvre nouvelle. Il se doit de
ne s'exposer qu'à coup sûr. Or, dans ces années 1880, la
tradition italienne, personnifiée par Verdi, s'oppose ouvertement au grand mouvement de réforme venu d'Allemagne,
et qui, avec les œuvres théâtrales et théoriques de Wagner,
a envahi la Péninsule. Verdi ne peut donner qu'un chef-
d'œuvre, et un chef-d'œuvre capable, par ses ambitions,
d'être le digne pendant des opéras du maître allemand.
C'est pourquoi, sans aucun doute, il se tait, préparant minutieusement son attaque. Dans une circonstance un peu similaire, Rossini, soixante ans plus tôt, avait préféré se taire
définitivement plutôt que de se risquer dans un combat
singulier avec Meyerbeer. Plus courageux, plus travailleur
aussi, et sans doute plus sûr de lui, Verdi va, encore une fois,
se poser en champion unique de l'art italien ; mais il entend
mettre toutes les chances de son côté.

Grâce à Ricordi, Verdi va entrer en contact direct avec le
jeune Arrigo Boïto dont nous avons déjà parlé au moment de
l'*Hymne des Nations*. Arrigo Boïto, littérateur et musicien
d'un égal talent, avait écrit ce « Mefistofele » qui, créé en 1868,
représentait, en face de Verdi, la jeune école italienne ; il
est hors de doute que Verdi, devant cette œuvre aux préten-
tions énormes — et si éloignées de son esthétique personnelle — ne pouvait qu'être sceptique. D'autant que Boïto
préconisait tout ce que Verdi estimait le plus préjudiciable
à l'art italien, c'est-à-dire l'art instrumental d'influence
germanique. D'autre part, Boïto, homme parfaitement cultivé, avait été amené à écrire un certain nombre de livrets
pour quelques-uns de ses collègues compositeurs ; parmi
ces derniers, Ponchielli partagea avec lui le grand et durable
succès de sa « Gioconda ». Ricordi, en mettant en présence
Verdi et Boïto, sait parfaitement que ce dernier est celui qui
peut le mieux aider Verdi à écrire l'œuvre dans laquelle,
sans rien renier de son passé, il sera néanmoins « de son
temps ». C'est de leurs conversations que va naître le projet
de mettre en musique l' « Otello » de Shakespeare (déjà
traité d'ailleurs par Rossini). Pendant plusieurs années,

Boïto et Verdi (dessin de Ximenes).

Verdi, en collaboration étroite avec Boïto devenu son compa-
gnon fidèle, va travailler à cet *Otello* pour lequel il a des
ambitions très grandes. Mais cette gestation se fait secrète-
ment. On sait bien que Verdi travaille, mais on ignore sur
quel sujet. Et, peu à peu, dans la clandestinité, va avancer
la composition de cet *Africain*, de ce *chocolat au lait*, comme
l'appelle irrévérencieusement Verdi.

Mais, avant d'utiliser des armes, il faut les avoir essayées.
C'est ce que Verdi et Boïto, avant de se lancer dans *Otello*,
vont sagement faire. Avec Boïto, il eut l'idée de reprendre son
Simon Boccanegra, qui avait complètement disparu du répertoire. Les deux collaborateurs n'avaient initialement prévu
que quelques changements de détail, dans le livret comme
dans la partition ; peu à peu ils furent amenés à transformer
complètement l'œuvre, qui, sous sa nouvelle présentation,

voit le jour, à la Scala, le 24 mars 1881. L'accueil qui lui est réservé ne peut qu'encourager Verdi et Boïto dans la voie d'une collaboration toujours plus étroite. Pendant cinq ans, dans le secret d'abord, puis dans un demi-mystère percé de temps à autre par des journalistes trop curieux, *Otello* va peu à peu prendre forme. Jamais Verdi n'aura encore travaillé aussi longtemps à une œuvre nouvelle. Jamais non plus il n'aura autant senti à quel point le public a les yeux fixés sur lui. Afin de ne point décevoir tous ceux qui ont foi en lui, Verdi — qui jusque-là écrivait pratiquement d'un seul jet — reprend minutieusement chaque passage, le refait, le laisse reposer, le revoit, le corrige : les esquisses préliminaires d'*Otello* conservées à Sant'Agata sont beaucoup plus nombreuses que pour les autres œuvres ; quant à la partition originale, elle est couverte de ratures et de « repentirs », ce qui n'était pas l'habitude chez Verdi. Il continue à partager son temps entre Sant'Agata et Gênes ; à partir de 1884, en plus, il fera régulièrement une saison à Montecatini, qui le verra venir chaque année, jusqu'à sa mort. A Sant'Agata, il trouve le calme ; mais le terrien reprend le dessus sur l'artiste, et Verdi s'occupe, du matin au soir, de ses fermes, faisant venir les paysans, discutant avec eux, établissant leurs comptes, jugeant des réparations urgentes — et laissant *Otello* mûrir dans son inconscient. Il a décidé, en plus, de créer un hospice de vieillards à Villanova d'Arda, près de Busseto ; c'est là la première manifestation de sa philanthropie, qui, on le verra, sera à la fin de sa vie son unique souci.

En 1883, la mort de Wagner à Venise libère, en quelque sorte, l'horizon musical et fait de Verdi le maître incontesté de l'opéra mondial. L'attente de cet *Otello* (qu'on appelle alors *Iago*) n'en est que plus anxieuse.

Entre-temps, suivant toujours sa politique habituelle vis-à-vis de ses œuvres anciennes, il a décidé d'alléger le *Don Carlos* parisien en vue de le donner à la Scala. Réduit à quatre actes, *Don Carlos* triomphe à Milan le 10 janvier 1884.

Ce n'est qu'à partir de 1884 que Verdi va travailler sans discontinuer à son *Otello*, qui sera à peu près complètement terminé à la fin de 1885. L'année 1886 va passer, pour Verdi, à choisir ses interprètes, et à modifier les différentes parties en fonction de leurs possibilités. Jamais Verdi ne se sera entouré d'autant de précautions avant la création d'un opéra nouveau. Bien que ce soit Franco Faccio qui doive diriger l'œuvre, c'est Verdi lui-même qui règle le moindre

TEATRO SCALA
ONORANZE A
WAGNER

détail des répétitions ; il entend travailler dans la plus parfaite liberté, et, pour cela, interdit — contrairement à l'usage — l'accès du théâtre de la Scala à qui que ce soit lors des répétitions. Aucun journaliste n'aura donc la moindre idée d'*Otello* avant que le rideau ne se lève, ce fameux soir du 5 février 1887, où Verdi, une fois de plus, va montrer au public qu'il a su parvenir, lui aussi, à l'« opéra total », et sans aucunement marcher sur les traces de Wagner, comme *Don Carlos* ou quelques moments d'*Aïda* avaient pu le laisser supposer à quelques exégètes superficiels. Partisan comme il l'est d'un opéra *national*, Verdi, avec *Otello*, donne le plus italien des opéras ; en ce sens que le souffle qui l'anime d'un bout à l'autre, que la passion qui y circule sont authentiquement latins. Sans doute a-t-il suivi une voie parallèle à celle de Wagner, et est-il parvenu à une conclusion similaire ; le discours musical, dans *Otello*, est parfaitement continu, et rien ne sépare plus les récits des airs, si ce n'est une tension plus grande, un lyrisme plus ample. Mais l'orchestre reste, malgré le soin qu'il révèle, au service de l'action et du chant ; le théâtre de Verdi reste avant tout un théâtre « lyrique » — alors que, chez Wagner, l'orchestre tirait à lui la couverture au point de donner la suprématie à la « symphonie ». Ce qui n'empêche nullement Verdi d'avoir donné, à son orchestration, un éclat et une couleur remarquables ; l'orchestre, pour la première fois chez lui, a une vie, une pulsation propres, qui font d'*Otello* un opéra « moderne » par rapport à ses prédécesseurs. Les contemporains, en tout cas, surent fort bien reconnaître l'originalité profonde de Verdi. Si le public fut un peu dérouté par une manière aussi inaccoutumée, les critiques, en constatant les « progrès » de Verdi, lui en laissèrent l'entière paternité. On parla bien moins de « wagnérisme » à propos

Affiches de Palanti

VERDI
E
L'OTELLO

Numero Unico
PUBBLICATO
dalla
ILLUSTRAZIONE
ITALIANA
e
COMPILATO DA
[..]o Pesci ed Ed° Ximenes

[..]atelli ·TREVES· editori
Via Palermo 2
MILANO

ABBONAMENTI
alla
ILLUSTRAZIONE
ITALIANA

	Italia	Estero U.P.
Un anno....	₤. 25	fr. 33
Semestre...	» 13	» 17
Trimestre...	» 7	» 9
Tutti gli altri Stati fr. 42		

[..]rezzo del presente Numero ❦

d'*Otello* qu'à propos de *Don Carlos* ou d'*Aïda*.

De toute façon, *Otello* fut un éclat dans la vie musicale. La ville entière de Milan participa au triomphe de Verdi ; et l'on a, de nos jours, du mal à imaginer à quel point un événement comme la création d'*Otello* put bouleverser la vie milanaise. Les milliers de personnes qui acclamèrent Verdi au balcon de son hôtel, après la « première », et qui purent entendre, de ce même balcon de l'Albergo Milano, le ténor Tamagno rechanter son « Esultate » de sa voix fracassante, furent les témoins d'un des plus grands triomphes de l'histoire du théâtre lyrique.

Verdi, devenu le patriarche merveilleusement jeune de la musique italienne, va désormais connaître les joies d'une vieillesse que l'on pourrait qualifier de royale. Comme Voltaire à Ferney, Verdi, à Sant'Agata et à Gênes, règne sur la musique de son pays et sur sa vie artistique. C'est à

Après la première d' « Otello ».

lui que l'on demande conseil dans toutes les conjonctures importantes ; il reçoit des marques de respect de l'Europe entière, des rois comme des plus humbles citoyens. A Sant' Agata — et le parallèle continue avec Voltaire — son activité musicale ne l'empêche nullement d'être le véritable bienfaiteur du pays. Là où l'irrigation était défectueuse, Verdi a entrepris des travaux énormes, qui, en « bonifiant » la région, l'ont rendue progressivement de plus en plus riche. Il a introduit sur ses propres terres la culture de la vigne, parvenant à produire de ce petit vin un peu aigrelet, mais délicieux, qui est maintenant l'un des charmes du pays. Pour assécher des étendues marécageuses, il a fait venir de puissantes machines, qui ont rendu à la vie des hectares de terrain ; enfin, le 6 novembre 1888, on inaugure cet hôpital de Villanova d'Arda, entièrement dû à sa générosité, conçu pour recevoir les vieillards et les infirmes de la région. Bref, Verdi est le bon génie de son pays natal.

Sur le plan national, l'occasion va bientôt lui être donnée de mesurer l'étendue de sa popularité. C'est en effet en 1889 que tombe le cinquantième anniversaire de son *Oberto*, qui ouvrait sa carrière. L'Italie entière va fêter ce jubilé artistique en des manifestations unanimes qui apporteront à Verdi l'hommage de tout un pays. Et tous forment le vœu de voir notre compositeur se remettre au travail, et donner encore un chef-d'œuvre à la scène lyrique.

Or, ce projet est déjà en cours d'exécution. A soixante-seize ans, Verdi, plus jeune que jamais, — et loin d'attendre comme après *Aïda* — accepte d'enthousiasme le livret que lui soumet Boïto, et qui, sous le titre de *Falstaff*, met en scène des personnages extraits des « Joyeuses Commères de Windsor » et de l' « Henry IV » de Shakespeare. Cinquante ans après l'échec du *Finto Stanislao (Un Giorno di Regno)* qui, après *Oberto*, avait ouvert la carrière de Verdi, ce dernier va pouvoir — dans un genre pour lequel on ne le croit pas fait, l'opéra-bouffe — prendre une éclatante revanche. Il se met au travail dans la fièvre, dans la joie... et dans le secret, car il tient à ménager ses effets. Pendant quatre ans, il va vivre avec ce *Pancione*, ce *ventru*, comme il a surnommé Falstaff, qui va égayer et illuminer sa vieillesse.

Ses amis s'en vont l'un après l'autre. Dès 1886, il a perdu sa chère Clara Maffei, amie fidèle de toujours. Maintenant, c'est Franco Faccio, le chef d'orchestre qui a créé *Otello*, puis Emmanuele Muzio, son unique élève et confident, qui

LA NOBIL DONNA
CLARA MAFFEI
NATA CONTESSA CARRARA SPINELLI
IN QUESTA SUA CASA PATERNA
OSPITAVA LA PRIMA VOLTA
NELL'AUTUNNO DEL 1847
GIUSEPPE VERDI
CONSACRANDO COSÌ
UN'ELETTA AMICIZIA
CHE FU COSTANTE FINO ALLA MORTE

≈ MCMXIII ≈

..... solo, soletto s
un'altura ombrosa
nella solitudine nei
profondi silenzi
quel Genio creava ....

Dal salotto della
Contessa Maffei »
Cap VII pag. 92

disparaissent — tous plus jeunes que lui. Heureusement, les jeunes compositeurs conservent pour lui, même si leur esthétique diffère de la sienne, une vénération qui ne s'est jamais démentie. Entre autres, le jeune Puccini, dont l'éditeur Ricordi, après le succès des « Villi » et d'« Edgar », soutient l'ascension, devient grâce à Boïto, le commensal milanais de Verdi — au point que le public verra rapidement en lui le « dauphin »... Verdi se sent beaucoup plus loin de ceux qui, comme Mascagni, dont la « Cavalleria Rusticana » soulève un enthousiasme fanatique, pratiquent un vérisme trop terre-à-terre. C'est l'époque du « Rêve » de Bruneau, de la « Sapho » de Massenet — mais Verdi ne peut pas aimer ce naturalisme en musique.

En 1892, par une curieuse marche en arrière, Hans de Bülow, son ancien adversaire, celui qui, au moment du *Requiem*, l'avait si ouvertement dénigré et attaqué, fait amende honorable, dans une lettre restée célèbre, où le chef d'orchestre allemand reconnaît publiquement le génie de Verdi. C'est en répondant à cette lettre que Verdi, une fois de plus, aura l'occasion de mettre l'accent sur le caractère national de l'art : *Si les artistes du Nord et ceux du Sud ont des tendances différentes, eh bien ! qu'elles soient différentes ! Tous devraient maintenir les caractères propres de leurs nations, comme le dit si bien Wagner. Vous avez de la chance, vous qui êtes encore les fils de Bach ! Et nous ? Nous qui, fils de Palestrina, avions jadis une école grande — et nôtre ! Maintenant, elle s'est abâtardie et menace ruine. Si seulement nous pouvions recommencer par le début !...*

Quant au *Falstaff*, sa composition avance rapidement. Bientôt vont commencer, dans les premiers jours de 1893, les premières répétitions d'ensemble. Le 9 février, la création de *Falstaff* à la Scala est, pour Verdi, ce que fut pour Voltaire cette représentation d'« Irène » à laquelle il assista en 1778 : la consécration suprême, le triomphe définitif. Le monde entier fut stupéfait de voir cet homme de quatre-vingts ans faire montre d'une telle jeunesse et avoir su aussi génialement allier autant de science à une inspiration aussi spontanée. Dans *Falstaff*, Verdi résume, au point de vue du métier pur, tout ce que lui a enseigné sa carrière. Jamais son harmonisation n'a été aussi recherchée, jamais son orchestration n'a brillé d'autant de feux ; le Puccini de la « Bohème » est déjà tout entier dans *Falstaff* pour ce qui est de la vie intense de

Verdi à une répétition de « Falstaff ».

l'orchestre. Mais l'élan lyrique reste prépondérant, comme toujours chez Verdi. *Falstaff* continue la glorieuse lignée de l'opéra-bouffe italien, et avec d'autant plus d'éclat qu'il survient à un moment où Wagner et Verdi lui-même avaient habitué le public à un théâtre lyrique plutôt dramatique. Le grandiose éclat de rire de *Falstaff* va secouer brusquement l'atmosphère, en même temps qu'il terminera brillamment le feu d'artifice ininterrompu que fut la carrière artistique de Verdi.

Car désormais ce dernier ne va plus rien donner à la scène. Et, à part quatre *Pezzi Sacri* exécutés, en première audition, par Taffanel à la Société des Concerts du Conservatoire le 7 avril 1898, Verdi, après avoir un moment songé à écrire un opéra sur l' « Ugolino » dantesque, abandonne définitivement la plume. Non pas qu'il cesse de travailler pour lui : ses papiers nous montrent que, jusqu'à la fin de sa vie, il a accumulé les essais contrapuntiques dans le style de ce dix-septième siècle qu'il admirait tant. Mais il est maintenant

trop âgé pour prétendre offrir un nouvel ouvrage au public. D'ailleurs, à part un ou deux voyages à Paris (pour *Falstaff* et pour *Otello*), il ne bouge pratiquement plus de l'Italie, où il continue à se partager entre Gênes, Sant'Agata, Milan et Montecatini. Le « gran vegliardo », le « grand vieillard » jouit en paix de sa gloire. Ses deux derniers opéras font triomphalement leur tour du monde, et les honneurs les plus hauts sont rendus à leur auteur. Mais Verdi reste, au crépuscule de sa vie, le paysan qu'il a toujours été. Et, s'il accepte la grand-croix de la Légion d'Honneur que lui confère Casimir Périer à l'occasion d'*Otello*[1] en 1894, il refuse énergiquement le titre de « marquis de Busseto » que voudrait lui offrir le roi d'Italie. Il tient à rester le roturier qu'il est depuis sa naissance, et à ne devoir son nom qu'à son seul mérite.

Jusqu'à sa mort désormais, il ne va plus s'occuper que de ses terres, de l'exploitation de ses œuvres, et de cette « Maison de repos pour musiciens » (« Casa di riposo per Musicisti ») qu'il a entrepris de faire construire à Milan. Désormais, s'il tient un compte serré de tous ses gains et de tous ses revenus, c'est pour pouvoir en consacrer le maximum à cette œuvre magnifique qu'il a imaginée, et qui, après sa mort, va être l'unique bénéficiaire de tous ses droits d'auteur. Il aura la joie de la voir terminée avant de disparaître.

C'est à Milan que va mourir, le 27 janvier 1901, dans une chambre de l'hôtel où il avait l'habitude de descendre depuis de longues années, l'un des plus grands compositeurs que l'Italie ait connus. La stupeur de la foule à l'annonce de sa disparition prouva à quel point l'homme du Risorgimento et de l'Unité italienne était resté profondément populaire. Et si, comme il l'avait désiré, son enterrement fut, dans sa pauvreté et son humilité, celui d'un Italien parmi tous les autres, un mois plus tard, le peuple italien pouvait lui rendre le plus grandiose des hommages en accompagnant sa dépouille du Cimetière Monumental de Milan jusqu'à sa « Maison de Repos pour musiciens » où, dans une petite crypte, il repose désormais, auprès de sa fidèle compagne, et au milieu de tous ces musiciens qui furent plus ou moins les ouvriers de sa gloire.

1. Donné à Paris, *Otello* inspira à Paul Dukas certaines pages où l'auteur de « L'apprenti sorcier » se montre bien mauvais critique...

Casimir Périer présente Verdi au public de l'Opéra, lors de la première d' « Otello ».

Les journalistes attendant le bulletin de santé de Verdi.
Carte postale où l'on remarquera, notamment, un bulletin de santé de Verdi.

26 Gennaio, ore 7,30.
da 170 a 180, irregolarissimo, filiforme.
zione 44, pupille strettissime ed inerti
molo luminoso. Abolizione assoluta della
a e generale dei riflessi.
ta del Maestro va lentamente spegnendosi
nga durata di questo periodo terminale
empre più la sua straordinaria resistenza.
Firmati : Prof. Grocco
Dott. Odescalchi
Dott. Caporali

GIUSEPPE VERDI

a dove nacque
Verdi nel villaggio
di Roncole (Busseto)

La Casa di Riposo
pei Musicisti, fondata
da Giuseppe Verdi

CENTENARIO VERDIAN
VERONA-GRANDE AREN

Verdi parle

LETTRE AU PEINTRE DOMENICO MORELLI

« J'aime, dans les arts, tout ce qui est beau ; je ne crois nullement à ce qu'on appelle *l'école*, et j'aime ce qui est gai, ce qui est sérieux, ce qui est terrible, ce qui est grand, ce qui est petit, etc. : j'aime tout, pourvu que ce qui est petit soit petit, que ce qui est grand soit grand, que ce qui est gai soit gai... Bref, que tout soit comme il doit être : vrai. »

« L'artiste qui hésite n'avance pas. »

LETTRE A ARRIVABENE, 1874

« L'art, l'art véritable, celui qui est *créateur*, n'est pas l'art édenté que nous recommandent les critiques. »

« Les forces me manqueront peut-être pour arriver là où je veux arriver : mais je sais parfaitement ce que je veux. »

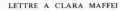

« La peur, voilà ce qui ruine nos artistes. Tout ce qu'on produit actuellement est né de la peur. On ne pense plus à suivre sa propre inspiration, mais on est occupé à ne point heurter les nerfs des Filippi, des d'Arcais et de tous les autres. »

« L'artiste qui représente son pays et son époque devient nécessairement universel, maintenant comme dans l'avenir. »

« L'art doit avoir un caractère national ; la science, non. Mais les Italiens sont Italiens, et la musique, pour eux, doit être italienne. Nous sommes différents des Allemands, encore plus des Français et des Russes, et nous avons une façon de sentir différente. »

A PIROLI, 2 FÉVRIER 1883

« Les Français font, font et refont, et ne trouvent jamais. »

25 JUIN 1880

« Je suis de ceux qui pensent que la musique religieuse doit avoir un caractère et un style propres ; mais je ne crois pas que le chant grégorien doive être la seule véritable expression des choses sacrées. Si la musique a fait tellement de progrès depuis l'époque du grégorien jusqu'à nous, et si elle a fait tant de découvertes, pourquoi devrions-nous nous en priver ? »

CONSEILS A UMBERTO GIORDANO

« Quand vous écrivez, ne vous préoccupez point de ce que font les autres (surtout ne vous occupez point des compositeurs étrangers), et ne cherchez pas à les imiter ; écrivez comme vous sentez, sans parti pris, et soyez sincère : en art, ce qui compte, c'est la sincérité, et non la mauvaise foi. »

« Copier le vrai peut être une bonne chose, mais *inventer le vrai* est mieux, bien mieux... »

« En fait d'opinions musicales, il faut être large, et moi, pour ma part, je suis très tolérant. J'admets les mélodistes, les harmonistes, les casse-c..., et tous ceux qui veulent à tout prix nous ennuyer avec leur *bon ton*. J'admets le passé, le présent, et j'admettrais volontiers le futur si je le connaissais et si je le trouvais bon. Bref, *mélodie, harmonie, déclamation, chant fleuri, effets d'orchestre, couleur locale* (termes dont on se sert tant, et qui, la plupart du temps, marquent un manque total d'idées) ne sont que des moyens. Avec ces moyens, faites de la bonne musique : j'admettrai tout, et tous les genres. »

A ESCUDIER, DÉCEMBRE 1869

« Le succès du premier soir n'est valable que jusqu'à un certain point. Il faut, et surtout à Paris, voir les soirées suivantes, et consulter les recettes. C'est vrai, c'est bien terre à terre : mais la *recette*, voilà le seul thermomètre du succès. »

A TORELLI, 1856

« Il est dans mes habitudes de ne m'en laisser imposer par aucun artiste, même si la Malibran pouvait revenir parmi nous. Tout l'or du monde ne me ferait point renoncer à ce principe. J'ai toute l'estime possible pour le talent de la Penco, mais je ne veux pas qu'elle puisse me dire : *Maître, donnez-moi le premier rôle de votre opéra, j'en ai le droit !* »

« Dans un drame, le style et la langue n'ont aucune valeur s'il n'y a pas d'action. »

« ... Je veux un seul *créateur*, et il me suffit que l'on exécute simplement et exactement ce qui est écrit ; le malheur, c'est que l'on n'exécute jamais ce qui est écrit. Je lis souvent, dans les journaux, des articles où l'on parle d'*effets qui n'avaient pas été imaginés par l'auteur* ; moi, pour ma part, je ne les ai jamais trouvés... Je ne donne ni aux chanteurs, ni aux chefs d'orchestre le droit de *créer*, ce qui, comme je l'ai déjà dit, nous conduirait à l'abîme... »

1882

« Berlioz était un pauvre malade, désagréable avec tout le monde, venimeux et méchant. D'un esprit très pénétrant, il avait le sens de l'instrumentation, et il a précédé Wagner dans beaucoup d'effets orchestraux. Les wagnériens ne veulent pas l'avouer, mais c'est un fait. Il n'avait aucun sens de la mesure ; il lui manquait ce calme, cet équilibre qui font les œuvres d'art complètes. Il allait toujours trop loin, même quand ce qu'il faisait était bon... »

« Gounod est un grand musicien, un grand talent, qui réussit le morceau de musique de chambre ou de musique instrumentale d'une manière supérieure, et toute personnelle. Mais il n'a pas la fibre dramatique. Le « Faust » lui-même, bien que réussi, est devenu petit entre ses mains. De même « Roméo », de même « Polyeucte ». Bref, il fait toujours bien le morceau intime, mais il rend mal les situations, et il sculpte mal les caractères... »

« ... dans la musique actuelle, la direction musicale et dramatique est une véritable nécessité. Jadis, une *prima donna*, avec une cavatine, un rondo ou un duetto, pouvait soutenir le poids de tout un opéra : aujourd'hui, non. »

« Bellini possédait des qualités exceptionnelles, de celles qu'aucun Conservatoire ne peut donner, et il lui manquait celles que les Conservatoires devraient enseigner. »

« Wagner n'est ni une bête féroce, comme voudraient le faire croire les puristes, ni un prophète, comme le proclament ses apôtres. C'est un homme de beaucoup de talent, qui se complaît dans les voies les plus contournées, parce qu'il ne sait pas trouver les chemins les plus directs. Il ne faut pas que les jeunes se fassent trop d'illusions : il y a beaucoup de gens qui font croire qu'ils ont des ailes, parce qu'en fait ils ne sont pas capables de se tenir debout sur leurs jambes. »

« A l'Opéra de Paris, la *mise en scène* est splendide, les costumes sont plus exacts, et d'un meilleur goût qu'ailleurs ; mais la partie musicale est très mauvaise, les chanteurs toujours très médiocres (sauf Faure depuis quelques années), l'orchestre et les chœurs distraits et indisciplinés. A ce théâtre, j'ai assisté à des centaines de représentations, jamais je n'ai eu *une* bonne exécution musicale. Mais, dans une ville de trois millions d'habitants, et d'au moins cent mille étrangers, il y a toujours deux mille personnes pour remplir la salle, même si le spectacle est mauvais. »

1878

« Quant au public, lorsque votre conscience vous dira que vous avez écrit quelque chose de bon, laissez-le vous en dire du mal — c'est quelquefois bon signe !... Le jour de la justice viendra, et c'est, pour un auteur, une grande satisfaction, une satisfaction suprême, que de pouvoir dire : *Imbéciles, vous vous êtes trompés !*

« Pour moi, je crois que, lorsque le public n'accourt pas à une production nouvelle, c'est déjà un insuccès. Quelques charitables applaudissements, quelques critiques indulgentes... ne peuvent m'attendrir. Non, non ; ni indulgence, ni pitié : plutôt des sifflets ! »

A FLORIMO, 1870

« Il est bien douloureux pour moi de ne pouvoir répondre, comme je le voudrais, à votre confiance ; mais, avec mes occupations, avec mes habitudes, avec mon amour de la vie indépendante, il me serait impossible de me soumettre à d'aussi graves engagements. Vous me direz : *Et l'Art ?* Sans doute ; mais j'ai fait tout ce que j'ai pu, et si, de temps à autre, je puis encore faire quelque chose, il faut que je sois libéré de toute autre préoccupation. S'il n'en était pas ainsi, croyez que je serais fier d'occuper un poste où j'aurais comme prédécesseurs A. Scarlatti, Durante et Léo. Je me serais fait une gloire d'exercer les élèves à l'étude grave, sévère et claire de ces premiers pères. J'aurais voulu, pour ainsi dire, poser un pied sur le passé et l'autre sur le présent et l'avenir (je n'ai pas peur, quant à moi, de la *musique de l'avenir*) ; j'aurais dit à ces jeunes élèves : « Exercez-vous constamment à la fugue, tenacement, jusqu'à la satiété, jusqu'à ce que votre main ait acquis assez de force pour pouvoir plier la note à votre volonté. Ainsi, vous apprendrez à composer avec sûreté, à disposer convenablement les parties, et à moduler sans affectation. Étudiez Palestrina et quelques-uns de ses contemporains. Ensuite, assistez à Marcello, et portez toute votre attention sur les récitatifs. Assistez à peu de représentations d'opéras modernes, sans vous laisser éblouir ni par des beautés harmoniques ou orchestrales, ni par l'accord de *septième diminuée*, notre refuge et notre écueil à tous, qui ne savons pas écrire quatre mesures sans une demi-douzaine de ces accords de *septième.* » Une fois faites ces études, unies à une large culture littéraire, je dirais enfin aux jeunes : « Maintenant, mettez-vous la main sur le cœur ; écrivez, et... vous serez compositeurs. De toute façon, vous n'augmenterez point la foule de ces imitateurs et de ces *malades* de notre époque, qui cherchent, cherchent, et (en faisant quelquefois de bonnes choses) ne trouvent jamais. » Dans l'enseignement du chant, j'aurais voulu aussi des études anciennes, jointes à la déclamation moderne. Pour mettre en pratique ces quelques maximes, faciles en apparence, il faudrait surveiller l'enseignement avec tellement de soin que, ma foi, les douze mois de l'année ne suffiraient pas. Moi, qui ai maison, intérêts, fortune, tout ici, je vous le demande : comment pourrais-je m'en charger? Soyez donc, mon cher Florimo, l'interprète de mon très grand regret auprès de vos collègues et de tous les musiciens de votre si belle ville de Naples, puisque je ne puis accepter une invitation si flatteuse. Je vous souhaite de trouver un homme avant tout savant et sévère dans les études. Les licences et les erreurs de contrepoint peuvent s'admettre — et sont quelquefois belles — au théâtre : jamais au Conservatoire. *Retournons aux anciens : ce sera un progrès.* »

« En musique comme en amour, il faut être sincère pour être cru. »

Verdi et la France

SON ACTE DE NAISSANCE *(en français)*.

L'an 1813, le jour douze d'octobre, à neuf heures du matin, par-devant nous, adjoint au maire de Busseto, officier de l'État civil de la commune de Busseto susdite, département du Taro, est comparu Verdi Charles, âgé de 28 ans, aubergiste, domicilié à Roncole, lequel nous a présenté un enfant du sexe masculin, né le jour 10 du courant, à 8 heures du soir, de lui déclarant et de Louise Uttini, fileuse, domiciliée à Roncole, son épouse, et auquel il a déclaré vouloir donner les prénoms de Joseph-Fortunin-François...

SA DERNIÈRE LETTRE *(en français)*.

A V. Sauchon. Société des Auteurs et Compositeurs de Musique, 10, rue Chaptal, Paris, le 17 janvier 1901.
J'ai reçu le chèque de Lires 2.691,80 pour mes droits d'auteur jusqu'à la fin de l'année 1900. Recevez mes remerciements et mes compliments. G.V.

« Le désastre que subit la France me met, comme à vous, la désolation au cœur !... Il est vrai que la « blague », l'impertinence, la présomption des Français était, et est toujours, malgré leurs malheurs, insupportable ; mais, enfin, c'est la France qui a donné, au monde moderne, la liberté et la civilisation ; et si elle tombe, ne nous faisons aucune illusion : toutes nos libertés et notre civilisation tomberont avec elle. Que nos littérateurs et nos politiciens montent donc en épingle le savoir, la science, et même (Dieu leur pardonne !) les arts de ces vainqueurs de la France ; mais, s'ils regardaient avec plus d'attention, ils verraient que, dans leurs veines, coule toujours l'antique sang des Goths, qu'ils sont d'un orgueil démesuré, qu'ils sont durs, intolérants, qu'ils méprisent tout ce qui n'est pas germanique, et que leur rapacité n'a pas de limites. Des hommes de tête, mais sans cœur ; une race forte, mais non policée. Et ce roi, qui n'a à la bouche que Dieu et la Providence, et qui, avec l'aide de cette dernière, détruit la meilleure partie de l'Europe ! Il se croit prédestiné à réformer les coutumes et à punir les vices du monde moderne ! Quel drôle de missionnaire !

Jadis, Attila (encore un missionnaire du même genre) s'était arrêté devant la majesté de la capitale du monde antique ; aujourd'hui, le roi de Prusse se prépare à bombarder la capitale du monde moderne ; et, maintenant que Bismarck fait savoir que Paris sera épargné, je crains, plus que jamais, qu'elle ne soit, au moins en partie, ruinée. Pourquoi ? Je ne saurais le dire. Peut-être parce que Paris ne sera plus jamais aussi belle — et qu'ils n'arriveront jamais à faire une capitale semblable. Pauvre Paris ! que j'ai vue si gaie, si belle, si merveilleuse en avril dernier !

Et puis, j'aurais aimé que l'Italie pratiquât une politique plus généreuse, et que l'on pût payer une dette de reconnaissance — cent mille soldats italiens pouvaient peut-être sauver la France. De toute façon, j'aurais préféré nous voir signer la paix, vaincus aux côtés des Français, plutôt que de rester dans cette inertie qui nous fera mépriser un jour. Nous n'éviterons point la guerre européenne, et nous serons dévorés. Cela n'aura pas lieu demain — mais cela arrivera un jour. Un prétexte est vite trouvé !... »

Petite Discographie

Nous nous sommes bornés à mentionner quelques disques remarquables, qui peuvent donner une vue d'ensemble de l'œuvre de Verdi.

NABUCCO

chef Gardelli
int. Gobbi, Souliotis, Cava, Prevedi. Orch. de l'Opéra de Vienne.

Cette version a détrôné l'enregistrement que dirigeait Previtali, et dont les chœurs de la RAI faisaient tout le prix.

DECCA SET 298 à 300

UN GIORNO DI REGNO

chef Simonetto
int. Pagliughi, Capecchi.

Unique version de cette œuvre mineure. Du moins les voix sont-elles magnifiques...

CETRA LPC 1225

ATTILA

chef Gardelli
int. Raimondi, Milnes, Bergonzi, Deutekom. Orch. de Londres.

Bon enregistrement, sans plus.

PHILIPS 6700 056

MACBETH

chef Gardelli
int. Fischer-Dieskau, Souliotis, Ghiaurov, Pavarotti. Orchestre Philharmonique de Londres.

Cette version est surtout remarquable par la présence inattendue de Fischer-Dieskau. Et le tandem Souliotis-Pavarotti est étonnant... Mais ce ne sont, hélas, que des extraits.

SET 539

RIGOLETTO

chef Serafin
int. Callas, Di Stefano, Gobbi. Orch. de la Scala.

Avant tout, cet enregistrement vaut par l'interprétation magistrale de Tito Gobbi, qui fut sans conteste le plus grand Rigoletto de tous les temps.

PLM C 163-00432/4

LA TRAVIATA

chef Prêtre
int. Caballé, Bergonzi, Milnes.

C'est à l'heure actuelle la version de référence d'un opéra qui fut jadis illustré par de beaux enregistrements de la Callas aussi bien que de la Tebaldi. Mais celui-ci frise la perfection.

RCA 645087-9

LE TROUVÈRE

chef Mehta
int. Price, Cossotto, Domingo, Milnes. Orch. New Philharmonia.

On peut regretter le vieil enregistrement de Zinka Milanov, de Fedora Barbieri et de Jussi Bjœrling. Mais celui-ci, techniquement parfait, nous offré les voix qui sont actuellement les mieux adaptées à ce redoutable ouvrage.

RCA 64518-10

LES VÊPRES SICILIENNES

chef Levine
int. Arroyo, Domingo, Milnes, Raimondi. Orch. New Philharmonia.

Cet ouvrage vient de retrouver la scène de l'Opéra de Paris, où il fut créé. Cet enregistrement est fort satisfaisant.

RCA ARL 4-0370

UN BAL MASQUÉ

chef Votto
int. Callas, Di Stefano, Gobbi, Barbieri, Ratti. Orch. Scala.

Rien n'est encore venu supplanter cette magnifique gravure, qui groupe quatre monstres sacrés incomparables.

EMI VSM C 163-17651/3

LA FORCE DU DESTIN

chef Gardelli
int. Arroyo, Bergonzi, Cappuccili, orch. Philh. Royal.

On se rend compte, depuis peu de temps, qu'il s'agit là d'un des plus « forts » ouvrages de Verdi. Il y a eu, avec Tebaldi et Bastianini, un enregistrement célèbre. Mais la qualité de celui-ci est plus homogène.

EMI ANG C 065-02022/5

DON CARLOS

chef Giulini
int. Domingo, Caballé, Raimondi, Milnes, Verrett, Folani. Orch. Covent Garden.

Il n'y a pas longtemps que ce chef-d'œuvre est enfin dignement enregistré. La gravure en est excellente.

EMI ANG C 191-02149/52

AIDA

chef Solti
int. Price, Gorr, Vickers, Merrill. Orch. de Rome.

DEC SET 427/9

chef Muti
int. Caballé, Domingo, Cossotto, Ghiaurov. Orch. New Philh.
EMI 2 C 167-02548/50

Il est très difficile de choisir entre ces deux versions remarquables. C'est une affaire de goût personnel... Et l'on peut toujours regretter l'enregistrement avec Tebaldi et Stignani.

OTELLO

chef Karajan
int. Tebaldi, Del Monaco, Protti. Orch. Philh. de Vienne.

Je sais que le même chef a enregistré ce même Otello avec Mirella Freni, Vickers et Glossop. Mais je crois que je préfère encore, à cause de la présence de la Tebaldi, cette plus ancienne version.

DEC SET 209/11

FALSTAFF

chef Toscanini
int. Valdengo, Nelli, Merriman, Stich-Randall, Guarrera, Madasi, Elmo. Orch. symph. NBC.

La précision et la fougue de Toscanini font merveille dans ce chef-d'œuvre d'horlogerie. Aucun laisser-aller : le texte seul, dans toute sa beauté.

RCA AT 301

REQUIEM

chef Giulini
int. Schwarzkopf, Ludwig, Gedda, Ghiaurov. Orch. Philharmonia.

Quatre voix idéales, un chef qui aime l'œuvre : c'est là un merveilleux enregistrement, qui ne fait cependant point oublier celui de De Sabata.

EMI ANG C 167-00029/30

QUATRE PIÈCES SACRÉES : TE DEUM, STABAT MATER, AVE MARIA, LAUDI ALLA VERGINE

chef Mehta
int. Minton, Los Angeles Master Chorale, orch. philh. Los Angeles.

Version de référence, d'une exceptionnelle qualité.

DEC 7063 étr.

ANTHOGOGIES
« LES HÉROINES DE VERDI »

int. Maria Callas, accompagnée par Rescigno (orch. Philharmonia).

EMI VSM C 053-00865

« CARLO BERGONZI CHANTE VERDI »

int. Carlo Bergonzi, acc. par Santi et Gardelli.

PHI 6747 193

CHŒURS DE VERDI (NABUCCO, LES LOMBARDS, TROUVÈRE, AIDA, ATTILA, etc.)

int. Chœurs de l'Académie Sainte-Cécile de Rome, dir. Franci.

DEC 7013

Ces trois disques sont aussi passionnants qu'attractifs.

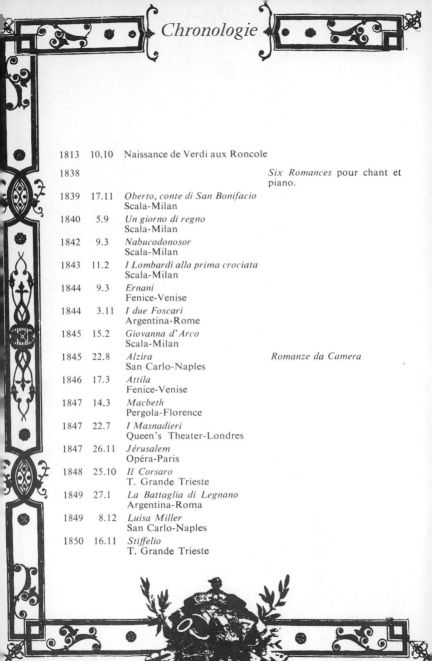

Chronologie

1813	10.10	Naissance de Verdi aux Roncole	
1838			*Six Romances* pour chant et piano.
1839	17.11	*Oberto, conte di San Bonifacio* Scala-Milan	
1840	5.9	*Un giorno di regno* Scala-Milan	
1842	9.3	*Nabucodonosor* Scala-Milan	
1843	11.2	*I Lombardi alla prima crociata* Scala-Milan	
1844	9.3	*Ernani* Fenice-Venise	
1844	3.11	*I due Foscari* Argentina-Rome	
1845	15.2	*Giovanna d'Arco* Scala-Milan	
1845	22.8	*Alzira* San Carlo-Naples	*Romanze da Camera*
1846	17.3	*Attila* Fenice-Venise	
1847	14.3	*Macbeth* Pergola-Florence	
1847	22.7	*I Masnadieri* Queen's Theater-Londres	
1847	26.11	*Jérusalem* Opéra-Paris	
1848	25.10	*Il Corsaro* T. Grande Trieste	
1849	27.1	*La Battaglia di Legnano* Argentina-Roma	
1849	8.12	*Luisa Miller* San Carlo-Naples	
1850	16.11	*Stiffelio* T. Grande Trieste	

1851	11.3	*Rigoletto* Fenice-Venise	
1853	19.1	*Il Trovatore* Argentina-Rome	
1853	6.3	*La Traviata* Fenice-Venise	
1855	13.6	*Les Vêpres Siciliennes* Opéra-Paris	
1857	12.3	*Simon Boccanegra* Fenice-Venise	
1857	16.8	*Aroldo* T. Nuovo-Rimini	
1859	17.2	*Un ballo in maschera* Argentina-Rome	
1862	10.11	*La Forza del Destino* Th. Impérial-St-Pétersbourg	*Inno delle Nazioni*
1867	11.3	*Don Carlos* Opéra-Paris	
1871	24.12	*Aïda* Th. Italien-Le Caire	
1873	1.4		*Quatuor à cordes* Naples
1874	22.5		*Requiem* Milan
1880	18.4		*Pater Noster* et *Ave Maria* « *Volgarizzati* » *da Dante* Milan
1881	24.3	*Simon Boccanegra (refait)* Scala-Milan	
1887	5.2	*Otello* Scala-Milan	
1893	9.2	*Falstaff* Scala-Milan	
1898	7.4		*I Pezzi sacri* (Paris) *Te Deum* *Stabat Mater* *Ave Maria* *Laudi alla Vergine*
1901	27.1	Mort de Verdi à Milan.	

Bibliographie succincte

OUVRAGES DE BIOGRAPHIE ET DE CRITIQUE

Il est évident que, d'une bibliographie spécialement riche, nous ne pouvons qu'extraire quelques titres d'un intérêt immédiat.

Avant tout, la littérature consacrée à Verdi est dominée, et de loin, par le gros ouvrage de C. Gatti, qui est un modèle de biographie, et qui semble avoir épuisé le sujet:

CARLO GATTI : *Verdi*, Mondadori, Milano, 1951. Trad. fr. N.R.F. 1961.

Mais quelques autres livres donneront des aperçus d'une couleur différente :

A. BASEVI : *Studio sulle opere di G. Verdi*, Tofani, Firenze, 1859.

C. BELLAIGUE : *Verdi*, Laurens, Paris, sd.

F. BONAVIA : *Verdi*, Oxford University Press, London, 1930.

A. BONAVENTURA : *G. Verdi*, Alcan, Paris, 1923.

E. CHECCHI : *G. Verdi*, Barbera, Firenze, 1901.

G. ENGLER : *Verdis Anschauung vom Wesen der Oper*, Breslau, 1938.

C. GATTI : *Revisioni e rivalutazioni verdiane*, R. A. I., Roma, 1952.

U. GERIGK : *G. Verdi*, Potsdam, 1932.

L. GIANOLI : *G. Verdi*, « La Scuola », Brescia, 1950.

GIULIO GONFALONIERI : *Bruciar le ali alla musica*, Rizzoli, Milano, 1945.

H. KUHNER : *G. Verdi*, Hambourg, 1961.

J. MALRAYE : *Verdi*, Seghers, 1965.

M. MILA : *Il melodramma di Verdi*, Laterza, Bari, 1933.

G. MONALDI : *G. Verdi*, Bocca, Milano, 1943.

M. RINALDI : *Verdi critico*, Roma, 1951.

A. SOFFREDINI : *Le Opere di Verdi*, Aliprandi, Milano, 1901.

F. TOYE : *Verdi*, Heinemann, London, 1931.

F. WALKER : *The man Verdi*, New York, 1962.

F. WERFEL : *Verdi, Roman der Oper*, 1924.

ARTICLES DE REVUES

Ils sont évidemment innombrables. Les deux suivants ont un intérêt précis :
TORRI-TORCHI : *Bibliografia verdiana*, (in « Rivista Musicale Italiana », 1901, II).
C. BELLAIGUE : *La Musique italienne et l' « Othello » de Verdi*, (in « Revue des Deux-Mondes », nov. 1894).
Un *Bollettino Verdiano* paraît chaque année à Parme depuis 1960.

LETTRES DE VERDI

Elles ont été, pour la plupart, réunies dans quelques recueils :
CESARI-LUZIO : *I copialettere di Giuseppe Verdi*. A cura del Comitato esecutivo per le onoranze a G. Verdi nel primo centenario della nascita, Milano, 1913.
A. ALBERTI : *Verdi intimo* (carteggio con il conte Opprandino Arrivabene). Mondadori, Milano, 1931.
A. LUZIO : *Carteggi verdiani*, Roma, Accademia dei Lincei, 1947.
A. OBERDORFER : *Verdi : autobiografia dalle lettere*, Rizzoli, Milano, 1951.

ICONOGRAPHIE

C. GATTI : *Verdi nelle immagini*, Garzanti, Milano, 1941.

TEXTES MUSICAUX

Toutes les œuvres de Verdi sont éditées par la maison Ricordi, à Milan. Depuis quelques années, on peut se procurer les partitions d'orchestre des principaux opéras.

Atto III

Scena Violetta

Pour mieux écouter la « Traviata »

Il s'agit sans doute de l'œuvre la plus populaire de Verdi, mais aussi de celle qui a payé sa gloire du mépris à peine déguisé des esthètes, pour ne pas parler de l'indifférence totale des musiciens ; et, pourtant, il est certain que le meilleur Verdi se trouve dans cette partition, où l'efficacité dramatique de la musique s'accompagne toujours de découvertes étonnantes sur le plan harmonique, mélodique ou rythmique : c'est à la recherche de quelques-unes de ces découvertes proprement « verdiennes » que nous voudrions nous livrer.

Six ans avant le prélude de « Faust », celui de la « Traviata » réussit à être autre chose que l'ouverture habituelle, où les principaux thèmes de l'ouvrage étaient exposés les uns après les autres, sans souci de la moindre unité psychologique ; Verdi, dès le début de son opéra, nous « met dans le bain » ; il ne s'agit nullement d'allusions plus ou moins directes à ce qui va suivre : il s'agit du drame en lui-même, de son essence propre, de ce qui, pendant les trois actes de l'ouvrage, va constituer le substrat permanent de l'action ; derrière la façade désœuvrée de cette vie facile qui est celle de l'héroïne, et qui s'exprime par un orchestre léger, souriant et volubile, il y a déjà, en contrepoint, les deux thèmes majeurs de l'ouvrage : l'amour, que chante la grande phrase « Amami, Alfredo », et surtout la mort, la mort qui purifie et qui console, et dont la sérénité plane dès l'accord de *si mineur* que les cordes, dans l'aigu, font entendre au début du prélude ; d'ailleurs, il est étonnant de voir comment Verdi a construit ce dernier, en prenant le contre-pied de ce qui se faisait à l'accoutumée : en effet, il semble que, pour mieux nous placer dans le cadre du drame, Verdi ait d'abord voulu nous offrir l'image sonore de ce qui sera la triste conclusion de l'œuvre, la mort de Violetta, et qu'ensuite, remontant à rebours les événements qui vont se dérouler devant nous, il nous donne l'écho orchestral des souffrances de l'héroïne, puis celui de son immense et pur amour, pour terminer par la joyeuse insouciance de la fête parisienne, celle-là même sur laquelle le rideau va maintenant se lever.

ACTE I

La première moitié de ce premier acte met en présence les deux protagonistes pendant une fête ; Verdi y fait la preuve de sa virtuosité en même temps que de son sens théâtral, en parvenant à conserver l'insouciante musique de fête parisienne sous les dialogues les plus divers ; la frivolité du Paris du Second Empire est ainsi parfaitement dessinée, cependant que les personnages se rencontrent, se parlent, s'accordent ou se heurtent ; d'ailleurs, si le premier thème de cette joyeuse musique est vraiment en dehors de tout drame, le second, par contre, laisse la porte ouverte à une émotion qui semble déjà y palpiter :

On sait que, dans la pièce de Dumas, c'est à Gaston qu'il revient d'entonner la « chanson à boire » ; ici, c'est Alfredo lui-même qui va chanter le célèbre « Brindisi » : d'où un caractère plus idyllique que bachique dans une pièce où, derrière le morceau de circonstance, doit se deviner le tempérament et le caractère du héros. Ce caractère va d'ailleurs surtout se dessiner dans la deuxième phrase :

Passons rapidement sur le côté arbitraire du chœur « d'usage » qui vient bien mal à propos rompre le discours, et mettre en péril l'émotion ; et venons-en directement à la grande scène où, sur un fond musical toujours léger et comme indifférent, Alfredo est amené à avouer son amour à Violetta ; c'est le triomphe du récitatif, au sens exact que Mozart pouvait donner à ce terme ; non pas du récitatif « narratif » ou explicatif, mais d'un récitatif où l'émotion a sa place, et où chaque note est chargée d'intentions. Prenons-en comme exemple une simple phrase :

Tout y est : la coquetterie naturelle de Violetta, mais aussi son inquiétude devant ce désert qu'est, elle le sait, sa vie sentimentale — et la fougue d'Alfredo, la chaleur de son amour, sa sincérité (notez au passage la force du « v'ama », venant en valeurs brèves après deux mesures de valeurs longues).

Lorsque le récitatif s'interrompt pour laisser la place à un air, on s'en aperçoit à peine, tellement le récitatif est déjà riche en résonances profondément lyriques ; c'est dans l'air que chante maintenant Alfredo qu'apparaît pour la première fois un élément mélodique qui va constituer le centre attractif, en quelque sorte, de l'œuvre ; c'est déjà le « leitmotiv » wagnérien, avec un rôle identique et, pour ainsi dire, une « charge émotionnelle » semblable ; on sait quels seront les différents avatars de ce thème tout au long de la pièce :

Après la « stretta », la scène d'amour reprend entre les deux protagonistes ; d'abord seule, Violetta rêve à cet amour sincère que lui offre Alfredo ; elle n'ose y croire — mais lui-même survient et plaide sa cause. Musicalement, ces va-et-vient sentimentaux sont rendus avec une économie de moyens étonnante, puisqu'ils sont exprimés dans deux airs qui s'enchaînent. Notons en passant, au début du second air (« Sempre libera »), l'une des « marques de fabrique » de Verdi, cet arrêt brusque de l'orchestre qui interrompt tout net sa ritournelle avant l'entrée du chant, et qui introduit immédiatement l'auditeur « in medias res ».

ACTE II

Le merveilleux récitatif qui ouvre cet acte ! Alfredo est seul, et nous dit son bonheur présent, aux côtés de Violetta. Les vingt-cinq premières mesures, celles qui précèdent l'air « De'miei bollenti spiriti », sont un modèle de psychologie musicale, où tout tient dans une croche, dans le déplacement d'un accent rythmique ; c'est un travail hautement subtil, dont malheureusement l'effet est quelque peu gâché par la « cabaletta » qui survient après l'air : ce « Oh mio rimorso, oh infamia » n'ajoute en effet rien à la gloire de Verdi.

Mais le second acte est celui où le drame va se nouer, par la rencontre de Violetta et de Germont, le père d'Alfredo ; à partir du *Madamigella Valery* qui marque l'entrée de ce dernier, chaque note est lourde de prolongements ; la scène suit une courbe régulière du moment où Violetta comprend le sacrifice qui lui est demandé jusqu'à celui où elle s'incline devant son devoir : mais il y a eu entre-temps la place pour tous les sentiments, depuis l'étonnement jusqu'à la révolte, jusqu'au refus de la bête blessée à mort et qui veut vivre encore ; il est d'ailleurs caractéristique que, au moment même où il est menacé, cet amour s'exprime grâce au thème qui l'a vu naître, et qui le connaîtra triomphant une dernière fois :

(Co_ si al_la mi _ se _ ra ch'e un dì ca _ du _ ta,)

C'est dans cette scène que prend place — au moment du renoncement — l'un des plus beaux airs de la partition, « Dite alla giovine... », où se trouvent ces deux ou trois merveilleuses mesures :

Cui _ res_ta un u _ ni_co, un u _ ni_co raggio di be _ ne,

Une fois le père disparu, et se trouvant de nouveau en présence de celui qu'elle aime, Violetta veut au moins emporter le souvenir de sa passion : avant de partir, elle conjure Alfredo de l'aimer toujours, et c'est là sans doute l'apogée lyrique de l'ouvrage :

186

A _ ma _ mi, Al _ fre _ _ _ do,

On peut regretter que le « père noble » reparaisse à point nommé pour consoler son fils de ce que ce dernier croit être la pire des trahisons ; on peut également ne goûter que modérément la cavatine, puis la cabalette du père : « Di Provenza il mar, il suol », et surtout « No, non udrai rimproveri » ; mais, replacés dans le contexte, ces airs reprennent un peu de leur nécessité dramatique, et par là même font oublier ce qu'ils ont de convenu.

Le second acte ne s'arrête point là ; il comprend encore ce que l'auteur appelle le « Finale secondo », et qui n'est autre qu'un tableau entier qui nous ramène dans l'ambiance du premier acte, mais cette fois chez une amie de Violetta. C'est là que les deux amants vont à nouveau se rencontrer, et que, fidèle à sa parole, Violetta va laisser Alfredo croire à sa trahison. L'intensité dramatique de la scène est accrue du fait que tout se passe au milieu des chants et des danses, et que tout d'un coup Alfredo va rompre le charme de cette aveugle insouciance en insultant publiquement Violetta. Sauf une ou deux phrases (« Alfredo, di questo core... »), le drame naît ici de la situation bien plus que de la musique.

ACTE III

Ce dernier acte est le triomphe de cette nouvelle « manière » de Verdi, née avec « Luisa Miller », et où l'analyse psychologique prend le pas sur le drame extérieur, l'émotion profonde sur la violence. Violetta va mourir, elle va retrouver Alfredo qui lui est resté fidèle : tout tient là.

Tout tient d'ailleurs déjà dans le Prélude de ce dernier acte, qui commence comme le prélude initial de l'œuvre, mais un demi-ton au-dessus, et qui, au lieu de faire appel à des éléments pris à la partition, laisse se développer une longue cantilène qui ne doit rien à ce qui a déjà été entendu, et qui constitue une sorte de portrait musical de l'héroïne, tour à tour hésitante et décidée, tendre et passionnée, confiante et inquiète, heureuse et désespérée : il semble que toute la triste aventure de la « Traviata » puisse être résumée par ces quelques mesures.

Le récitatif d'entrée, avec le docteur, est particulièrement simple au point de vue harmonique ; on y notera certains enchaînements propres à Verdi, comme celui-ci, que l'on rencontre jusque dans « Otello » :

Viol.   Il Dottore

_renti   E ques.ta   not.te ?

Puis c'est le premier air, où Violetta évoque un passé heureux auquel elle dit à tout jamais adieu : « Addio del passato bei sogni ridenti... » ; entrecoupé d'interventions instrumentales, qui traduisent parfaitement la fatigue de Violetta, passant de la simple mélancolie au souvenir brûlant de la passion, puis à la plus ardente des prières, cet air est l'un des plus émouvants qui soient.

Le carnaval — pour continuer jusqu'à la fin ce contraste qui est l'une des sources de l'émotion romantique — fait rage sous les fenêtres de la pauvre Violetta ; c'est à ce moment qu'apparaît Alfredo : et aussitôt la vie semble reprendre possession de ce corps condamné (« Parigi, o cara, ... ») :

Les rechutes qui suivent une excitation tout artificielle sont admirablement soulignées musicalement ; en particulier, après l'air de bravoure « Ah ! gran Dio ! morir si giovine », que suit l'arrivée « in extremis » du père d'Alfredo, Violetta exténuée veut donner un médaillon à son amant ; l'effet d'orchestre qui souligne le fameux « Miserere » dans le « Trouvère » sert ici à rendre l'extrême fatigue de la malheureuse Violetta :

Quant à la mort elle-même de la « Traviata », elle est intensément dramatique ; sur un murmure orchestral où se répète une dernière fois le thème de leur amour, Violetta, la voix entrecoupée, monte *crescendo* jusqu'au *si bémol* aigu, et tombe morte sur le canapé. Ainsi se termine une pièce qui ne doit à la « Dame aux Camélias » de Dumas fils que l'essentiel de son affabulation, car la « Traviata » n'est pas du tout une pièce à thèse, et où Verdi, avant « Faust », a su découvrir le romantisme tendre, et adapter son propre style aux exigences d'un propos encore « inouï ».

Iconographie

Civica Raccolta delle Stampe Achille Bertarelli, Milano : p. 4, 7, 23, 36, 37, 38-39, 43, 65, 91, 94, 96, 104-105, 109, 124, 127, 137, 144, 145, 147, 154, 157, 159, 160, 163, 164, 165, 170, 171, 180, 183 h. *Museo Teatrale alla Scala :* p. 2 et 3 de couverture, 2/3, 24, 25, 26-27, 35, 54, 57, 69, 78, 88-89, 107, 112, 114, 138, 139, 141, 142, 149, 152, 153, 155, 183 b, 189. *Bibliothèque Nationale (Éditions du Seuil) :* p. 9, 33, 70, 72, 73, 119, 126, 172. *Bibliothèque de l'Opéra (Éditions du Seuil) :* p. 10, 11, 44, 45, 53, 95, 102, 133, 135, 182. *Boudot Lamotte :* p. 22, 77, 108. *Keystone :* p. 136. *Harlingue :* p. 100-101, 103, 150. *Speiser :* p. 125, 162. *Roger-Viollet :* p. 55, 90, 177. *Georges Viollon,* p. 64. Les documents des pages 6, 14, 18, 19, 50, 59, 71, 84, 85, 110, 111, 128, 129, 134 proviennent du livre de Carlo Gatti; *Verdi nelle imagini* (Garzanti). Les titres des œuvres dans la discographie, ainsi que les divers cadres et motifs sont extraits des livrets originaux ou des affiches de la Scala.

Table

CE LIVRE, LE DIXIÈME DE LA COLLECTION « SOLFÈGES », DIRIGÉE PAR FRANÇOIS-RÉGIS BASTIDE, A ÉTÉ RÉALISÉ AVEC LA COLLABORATION DE DOMINIQUE LYON-CAEN.

collections microcosme
PETITE PLANÈTE

PETITE PLANÈTE / VILLES

SOLFÈGES

collections microcosme
ÉCRIVAINS DE TOUJOURS

 # LE TEMPS QUI COURT

ACHEVÉ D'IMPRIMER EN 1981 PAR L'IMPRIMERIE TARDY QUERCY S.A. - BOURGES
D. L. 2ᵉ trim. 1958 Nº 955-7 (9403)